Luigi Baricelli

SENTIR
PARA
PENSAR

Sentir para pensar

Copyright © 2022 by Luigi Baricelli

1ª edição: Setembro 2022

Direitos reservados desta edição: CDG Edições e Publicações

O conteúdo desta obra é de total responsabilidade do autor e não reflete necessariamente a opinião da editora.

Autor:
Luigi Baricelli

Preparação de texto:
Samuel Vidilli

Revisão:
Debora Capella

Fotos de capa e miolo:
Marco Máximo

Projeto gráfico e diagramação:
Jéssica Wendy

Capa:
Dimitry Uziel

DADOS INTERNACIONAIS DE CATALOGAÇÃO NA PUBLICAÇÃO (CIP)

Baricelli, Luigi
   Sentir para pensar : porque o amor é o caminho / Luigi Baricelli. — Porto Alegre : Citadel, 2022.
   176 p.

ISBN 978-65-5047-175-0

1. Baricelli, Luigi, 1971 – Memória autobiográfica 2. Autoajuda 3. Autorrealização 4. Sucesso I. Título

22-4346   CDD 158.1

Angélica Ilacqua - Bibliotecária - CRB-8/7057

Produção editorial e distribuição:

contato@citadel.com.br
www.citadel.com.br

CARAS

Luigi Baricelli

SENTIR PARA PENSAR

Porque o amor é o caminho

CITADEL
Grupo Editorial
2022

SUMÁRIO

PREFÁCIO	7
INTRODUÇÃO	17
I AMOR	23
Para permitir que ele aconteça, basta estar na frequência do amor	30
Cadê o amor?	39
A Dinâmica do Amor I	44
II A VONTADE DE SE VENCER	53
Luigi, o ator	62
Que vontade é essa?	69
A Dinâmica do Amor II	73
III FLORESCENDO NO AMOR	83
Amor que cura	93
O quanto de você é você?	100
A Dinâmica do Amor III	106
IV O DESPERTAR	115
A transição	124
A iluminação	136
Consciência expandida	141
Falando em amor...	150
A Dinâmica do Amor IV	151
V O CAMINHO DO AMOR	159
Pelo amor ou pela dor	168
É hora de acordar	170

PREFÁCIO

Quando decidi escrever este livro, sabia que, para muito além da minha história, precisava compartilhar como encontrei o caminho do amor, o qual finalmente me levou à liberdade que sempre sonhei em ter na vida.

Eu queria entender sobre a nossa existência e sobre o processo de Criação, e, ao buscar de muitas formas e por praticamente durante a minha vida inteira, posso dizer que, literalmente, fui do inferno ao céu para conquistar esse conhecimento. Mas, afinal, por que essa necessidade? Simplesmente, porque nasci com uma imensa vontade de estar o mais perto possível das pessoas e, de alguma forma, transformar a vida delas. Minha natureza sempre me colocou, intuitivamente, a fazer tudo o que estivesse ao meu alcance para estar com elas, e aquilo que não estivesse, eu sempre dava um jeito. Foi assim que me vi anos antes já nessa procura pela compreensão do que é essencial de verdade para cada um de nós.

Essa busca me possibilitou enxergar, sob um novo prisma, cada esfera que compõe a nossa vida, que é uma construção contínua e ocorre a todo instante, independentemente de onde estejamos. Nós não controlamos a vida mesmo, mas somos capazes de dominá-la quando bem-orientados e conscientes de quem verdadeiramente somos neste Universo. Mas, para chegar a esse estado, é preciso evoluir.

Deixa eu já contar uma coisa para você. Quando não somos capazes de olhar para a nossa existência, quando não enxergamos o que há no nosso coração, nós estamos caminhando para um processo de *involução*. E, basicamente, isso significa estar na contramão do processo natural de todo ser vivente: a evolução.

É por isso que, ao mergulhar de maneira profunda nesse processo de conhecimento sobre a nossa existência e atestar que a grande maioria das pessoas acredita na dor e não no amor para se transformar, não me conformei. Era preciso mostrar como *sentir para pensar* nos leva a viver o extraordinário nesta vida.

Não fomos feitos para viver ordinariamente, ficar presos naquele ciclo do crescer, se reproduzir e morrer. Você, eu e todos nós viemos para realizar, criar e viver as experiências mais extraordinárias da vida dia após dia.

Neste livro contarei a você histórias dos bastidores da minha vida, sim. Histórias que nunca até então tinha contado a jornalista nenhum, pois faziam parte desse extraordinário que eu já vivia, mas ainda não enxergava ao certo como passar adiante. Mas agora tenho enfim a honra e o prazer de poder falar só para você, que está me lendo neste momento, como é possível e muito mais fácil do que jamais imaginou viver essa mesma vida fantástica de onde você estiver.

Vem comigo, estou estendendo a minha mão. É seguro. Nessa jornada que será a leitura deste livro, você vai conhecer o que é *sentir para pensar*. Nesse território, não há o que temer, pois você verá que o começo, o meio e o fim são sempre o amor. Aqui não há espaço para a tirania da dor, para o conflito com o ego, para as inúmeras resistências que insistimos em colocar em nossa vida, fazendo com que fiquemos empacados ou desistamos de realizar e vencer.

Assim que você começar a sentir a vida pulsante que corre dentro de você, de mim, de todos nós, com real intensidade, será um abrir de olhos para a exuberância que é a nossa existência. Por isso que essa jornada é um grande despertar.

Acorde e sinta! Seus pensamentos começarão a fluir assim como o fluxo do rio.

Espero que as minhas histórias incentivem você a primeiro se deixar sentir, se permitir experienciar e manter o campo livre em sua mente, para que então você possa pensar. Cada fragmento da minha história que dividirei com você aqui é uma prova viva de que, quando nos entregamos de corpo e alma ao processo de sentir, o Universo em sua totalidade conspira a nosso favor para que possamos viver em abundância, e essa dádiva parte exatamente assim, do campo sensorial para o mental. Eu sempre senti e então pensei em tudo aquilo que fazia o meu coração vibrar. Tudo o que vivi, realizei e construí na minha vida veio dessa maneira, que é extraordinária, por isso hoje a minha realização será compartilhar tudo isso com você.

Em *Sentir para pensar*, você descobrirá como vibrar, manter a frequência e a intensidade sempre no sentimento mais poderoso deste Universo. **Amor**.

O caminho do homem

Muitas teorias existem para descrever
o caminho do homem, falam de nossos
sentimentos, de nossos comportamentos.

Tentam entender o que há por detrás deles.

Tudo isso para nos nortearem a uma
trajetória mais plena, porém tudo acaba
em uma simples palavra, AMOR.

Por que é tão simples e não conseguimos
enxergar a direção que irá nos levar, por
águas calmas ao desemboco do mar?

Aquele que ama não padece de seus infortúnios.

Aquele que ama tem compaixão.

Mas nem sempre estamos nesse
estado de graça; "de graça"?

Talvez, aí esteja a pedra angular, o preço a se pagar.

Tudo é crença, e crença é fé.

Acreditar ou ter dúvidas?

Se lançar a um destino desconhecido?

Ter coragem ou ficar nas amarras de nossos medos?

*O preço a se pagar são as escolhas
e o que elas irão trazer.*

Alma, corpo, sentimento, mente. "Mente"?

*Será que a mente mente e nos engana,
iludindo nossas percepções, desnorteando
nossos rumos, certos ou errados?*

Quantas perguntas, e quais as respostas?

Ser e se libertar

Usar do elixir, só para existir?

AMAR, amar sem parar

Sem dar licença à incoerência da existência

Usando com insistência

A exatidão do sentir

Deixar a natureza fluir

Viver sem parar

Também pra pensar

Conduzindo sem agarras

Deixando pra trás as amarras

*Para aí, sim, em timbres graves e agudos, ecoar
pelo Universo em ressonância, o meu pulsar.*

INTRODUÇÃO

Sentir para pensar nasceu da profunda necessidade de compartilhar a mais intensa e transformadora experiência que tive em minha vida. É provável que você já tenha me visto em alguma novela, no teatro, no cinema ou apresentando algum programa da televisão brasileira. Mas o que vou propor a você neste livro é que caminhe comigo nesta jornada rumo à descoberta que será capaz de transformar a sua vida assim como transformou definitivamente a minha.

Durante meus mais de 35 anos de carreira, tive o privilégio de interpretar e consequentemente viver muitas outras vidas além da minha. Ainda assim, o caminho nem sempre foi luminoso e vibrante como o palco podia parecer. Saí de uma infância e adolescência marcadas por uma imagem muito diferente do ator, apresentador e empresário de hoje. Vivi na pele medos, angústias e traumas que todos nós de certa maneira experienciamos. Contudo, foi cruzando o vale da dor que também conheci o caminho do amor. E é sobre ele que quero falar a você.

Neste livro, contarei como a maior força do Universo é capaz de libertar você de tudo aquilo que hoje o impede de viver a sua vida com mais liberdade, mais harmonia e mais intensidade.

Sabe aquela necessidade de controlar tudo a todo instante? Ou aquela dificuldade para compreender certas situações na sua vida? Ou ainda aquela felicidade que insiste em não durar? Aqui trarei aprendizados que generosamente recebi da vida e que hoje entendo ser parte da minha missão, do meu compromisso, compartilhar com você.

Se a sua busca também é por mais sentido, mais significação e o que importa de verdade na vida, seja bem-vindo, será um prazer realizar essa travessia rumo a novas descobertas com você. Isso é *sentir para pensar*.

AMOR

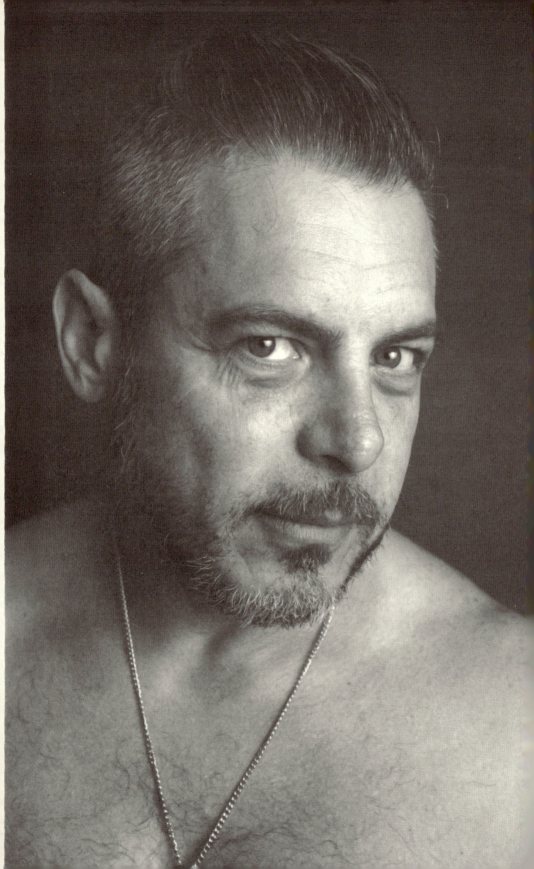

I

"O pensamento está sempre no centro da nossa atenção, e não na sensação, naquilo que sentimos."

Você já tentou criar algo, realizar um sonho ou projeto de vida, mas logo em seguida começou a dizer para si mesmo que não consegue porque simplesmente não é imaginativo, e as ideias não surgem? Muito além de bloqueio criativo, isso acontece porque na realidade você está bloqueando a si próprio. Muitas vezes, sem ao menos perceber, você passa a construir muros dentro de você, tal como o de Berlim, que o impedem de transitar na vida, e então você se bloqueia, passa a não acreditar, e assim não se torna quem você realmente é.

> Como você consegue transitar de um lugar para o outro se ergueu uma enorme barreira dentro de si mesmo?

Desde sempre eu quis entender o que era o pensamento, mas não conseguia compreendê-lo, pois a sensação era a de que eu não sabia pensar. Eu tinha sede de conhecimento, queria desvendar o mundo à minha volta e desenvolver uma mente criativa. Mas, assim como muitas pessoas, senti na pele os efeitos da construção de muros internos logo no começo da minha vida.

Nem sempre levei a fama de galã e não chegava nem perto de ser modelo, pois, da infância até quase o começo da adolescência, lutava contra a balança, tinha um problema em ambas as pernas que me fazia mancar, além de desalinhar toda a minha postura e entortar o meu corpo, e ainda sentia uma imensa dificuldade de me relacionar com as outras pessoas. Basicamente, eu era um gordinho de ombros caídos e sem nenhuma autoestima.

Naquela época, eu ainda não tinha ideia de que não se tratava de algo de fora, mas sim de dentro. Não tinha noção de que muros estavam sendo erguidos em mim pelos meus próprios medos. Mas o meu intenso desejo pelo conhecimento me levou para muito além de suas fronteiras.

Antes de me tornar "Luigi", fui Luiz. Nascido em uma família de imigrantes italianos no início da década de 1970, no bairro da Aclimação, em São Paulo, vim cercado de medos e incertezas. A primeira batalha que precisei travar para literalmente seguir em frente foi com relação ao meu físico. Fui uma criança gordinha desde os três anos de idade, andava mancando e não conseguia manter a postura em razão do Mal de Perthes*, que me acometeu quando completei 8 anos.

Meus pais formavam um casal muito reservado, tanto que fui criado mais dentro de casa, um pouco isolado, sem muita noção de rua. Apesar disso, não levava desaforo para casa e, se visse algo injusto, não deixava barato. Nunca faltou nada de que precisei, dentro das possibilidades e impossibilidades que vivíamos, e hoje vejo que meu pai realizava seus sonhos através de mim, assim como muitos outros pais experienciaram a mesma situação. Coisas que ele nunca teve oportunidade de ter na infância dele, fazia questão de me proporcionar.

No entanto, à medida que fui crescendo, a locomoção foi se tornando cada vez mais desafiadora. Cheguei a usar botas ortopédicas para ver se as pernas se ajeitavam, mas nada adiantou. Meus pais então não demoraram muito em me levar a um especialista que, na época, me prescrevera muletas, suspensórios e uma fisioterapia com bola de basquete na tentativa de corrigir o

---

* A doença de Legg-Calvé-Perthes consiste na destruição do quadril na criança. Essa doença é causada por um fornecimento de sangue insuficiente para a parte superior da placa de crescimento do fêmur, perto da articulação do quadril. Os sintomas típicos incluem dores no quadril e dificuldades para andar. (N.E.)

curso dos meus ossos e ao menos melhorar a minha condição, que até então seria incurável.

Eu tinha muito medo de ir para a escola com toda aquela parafernália. Chegava a ficar escondido atrás do Fusca de casa para não ter que encarar a situação, mas a minha mãe me puxava, e assim eu ia arrastado mesmo. Era o tatu-bola a única motivação que me mantinha lá. No recreio ele era a minha companhia, junto de um gostoso lanchinho que me consolava enquanto eu comia sozinho na sala de aula, esperando todo mundo voltar, pois simplesmente era impossível encarar todas aquelas escadas do antigo casarão que abrigava o Colégio Aclimação.

Era muleta o tempo todo. Eu mal saía de casa. Minhas pernas começaram a ficar sem musculatura, gradativamente foram atrofiando com o avanço da minha condição.

O galã não nasceu galã, muito pelo contrário. Ele tinha uma série de problemas, vivia o aprisionamento da limitação física com as pernas tortas, a obesidade infantil e as dificuldades de se relacionar.

Foi preciso um bocado de fé e principalmente amor para me livrar de tudo que me impedia de ser quem eu realmente vim a este mundo para ser.

"Você é a mais pura manifestação do Criador. Você é uma energia. Você é energia do amor."

Já aconteceu alguma coisa com você que foi um milagre? Se ainda não, acredite, ele vai surgir em sua vida, e pode ser que aconteça quando você menos espera, independentemente de crença religiosa ou da fase da vida pela qual você estiver passando.

PARA PERMITIR QUE ELE ACONTEÇA, BASTA ESTAR NA FREQUÊNCIA DO AMOR

Para mim, o milagre se manifestou ainda na minha infância, mudando para sempre o curso da minha vida. E se não fosse o amor, que fez com que a minha família passasse a acreditar em todo um processo com o qual nunca havia se relacionado, o Luizinho não teria se tornado o Luigi de hoje.

Em 1979, eu ainda estava preso àquelas muletas e suspensórios, e meus pais, cada vez mais aflitos com a situação. Havia uma enorme expectativa de me verem livres daquilo tudo para que eu pudesse finalmente sair correndo por aí, brincar e viver uma infância normal, além de me dedicar aos esportes, como o judô, pelo qual eu havia me interessado desde bem pequeno. Mas tudo era difícil naquele tempo, o que aqui vou chamar de limitação da limitação, pois tudo era desculpa para não conseguirmos fazer as coisas. Sair de casa e enfrentar a ladeira da rua em que morávamos para chegar até a academia era um evento. Ainda assim, minha mãe me levava, calçado nas botas ortopédicas para que eu conseguisse andar. Hoje percebo que eram momentos como esse, os quais testavam minhas limitações, que me deixavam num conflito entre ter um coração absurdamente bom, mas ao mesmo tempo me sentir egoísta por não conseguir aprovação.

Contudo, foi naquele mesmo ano que veio a redenção. O milagre estava a caminho e chegou por meio de uma mesma mensagem enviada por duas pessoas que não tinham conexão, pois não se falavam naquela época.

Tradicionalmente, minha família é de origem cristã em virtude da ascendência italiana, mas nunca houve uma religiosidade acentuada. Posso dizer que tanto minha avó Judith, que na realidade possuía uma ascendência iugoslava, quanto minha tia Dag, casada com o irmão do meu pai, Ricardo, eram céticas. Ainda assim, ambas curiosamente disseram ao meu pai quem ele deveria procurar para me ajudar.

Meu pai era um homem observador, e essa habilidade fez toda a diferença naquele momento, pois ele percebeu que duas pessoas que não acreditavam em práticas espirituais e não se falavam trouxeram-lhe o mesmo nome. Então ele não hesitou, e naquela mesma semana tomou a decisão de me levar ao encontro do milagre.

A minha cura foi um ato de amor, que abriu espaço para a fé. O amor que a minha família tinha por mim moveu as montanhas do insuperável. Foi por amor que meu pai me levou não sei ao certo quantas vezes a um tal lugar em que se operaria o milagre, mas me lembro que saíamos às 4h30 e chegávamos às 5h30 para então colocar o nome na fila de espera e depois aguardar até as 20h para sermos atendidos.

Foi por amor que meu pai resistia ao cansaço de viajar centenas de quilômetros madrugada adentro e, por esse mesmo amor, pensava em como poderia deixar a espera pela nossa vez menos penosa, levando varinhas de pescar para que pudéssemos pegar e então soltar alguns peixes no rio que havia naquela cidade.

Em meus processos de evolução constante, tive a oportunidade de compreender que somos a mais pura manifestação do Criador. Somos todos uma energia, e a essência dessa energia é o amor.

Nunca vou me esquecer das palavras que o médico proferiu enquanto olhava intrigado os raios-x dos meus quadris diante dos meus pais: *"A natureza nos reserva cada surpresa"*. Certamente, a incredulidade o impediu de dizer que um milagre havia acontecido, mas fato é que fui curado, e todos os exames apenas indicavam que estava tudo normalizado.

Quando colocamos o amor em primeiro plano, toda a vida se amplia diante de nossos olhos. Se nos falta fé, o amor nos faz dobrar os joelhos e quebra toda a resistência que o nosso ego ou mesmo o nosso racional nos faça ter diante de determinada situação em nossa vida, que cremos ser impossível de superar. Apenas se permita sentir esse amor puro e simples. Estou certo de que suas barreiras vão, uma a uma, começar a desmoronar.

Superada enfim a minha limitação física, eu tinha o mundo a minha frente para desbravar! Mas quem disse que tudo foi às mil maravilhas? A minha dificuldade em manter o foco, a atenção e consequentemente a assimilação de conteúdos ainda persistia. Eu desejava intensamente aprender, mas ler qualquer coisa era um baita desafio. Ainda assim, não fui vencido pelo desânimo e desestímulo que esses entraves poderiam me causar.

Certa vez, ainda na adolescência, ganhei da minha avó Dulce um livro inesquecível, que me marcaria para sempre, pois ele representaria o caminho que eu iria percorrer para o resto da minha vida, fosse pela profissão que escolhi, fosse pela missão que depois abracei. Aquela obra clássica de Will Durant, que trazia lições sobre a história para se entender o mundo, lançou luz e deu contornos à minha imaginação. Já não havia mais o que me fizesse mudar de ideia em relação a buscar compreender todas as coisas desse mundo.

Observe como mais uma vez o amor despontou aí. Nesse caso, foi o amor da minha avó Dulce que a motivou a me presentear com um livro que poderia parecer indecifrável para uma criança com déficit de atenção, ou como queiram chamar. Mas, ao realizar essa escolha do coração, minha avó simplesmente liberou a energia do amor, vinda na forma do incentivo. E muitas vezes o que precisamos é de apenas um ligeiro incentivo, o famoso "empurrãozinho" para passar a enxergar nossos arredores com outros olhos; no meu caso, foi essa leitura que me trouxe essa oportunidade.

Aquele foi o meu primeiro encontro com o verdadeiro Luigi, pois note que, mesmo com as dificuldades, eu não me distraí daquilo que realmente me chamava, que era a vontade de saber. Sou muito curioso pelo conhecimento, e tudo o que é universal e humano sempre me atraiu. Todas as coisas puramente burocráticas, por exemplo, nunca me saltaram aos olhos, já que representavam um fazer por fazer sem um brilho no olhar. Eram apenas sobrevivência, e não existência.

Quantas vezes na vida você já se sentiu assim? Fazendo algo apenas por fazer? Na realidade, se formos parar para analisar, sempre encontramos a questão do brilho nos olhos *versus* o fazer por fazer em qualquer circunstância. Pense, por exemplo, quando você entra numa empresa hoje. O ensinamento pragmático de todo especialista na área consiste em controlar o processo da competição. Eles te dizem que você tem que crescer, te dizem até onde você tem que chegar, em vez de te ensinar a fazer o melhor trabalho possível para a sua própria realização e o bem comum. Com isso, você executa o tal trabalho de acordo com o objetivo preestabelecido pelos outros de chegar naquele determinado lugar, muitas vezes tendo que agradar a um ou a outro, ou fazer algo apenas por fazer, mas não pelo trabalho em si e muito menos para o seu próprio brilho no olhar.

Viver uma vida sem essa energia do que verdadeiramente te move pode ser debilitante. Sem ela, acabamos caminhando num arrastar contínuo, cadenciado pelo marasmo, na maior parte das vezes desiludidos e frustrados, presos num vicioso circuito do medo, que nos impede de romper com o que não faz parte da nossa verdadeira essência.

Todos nós estamos sujeitos a esse *status quo*, ou estado de coisas, que nos deixa viver às vezes 20, 30, 50 anos ou uma vida até o seu último suspiro no que hoje chamamos de "piloto automático", sem um real entusiasmo, sem entrega, sem aceitação, sem a energia do amor. Apesar disso, a superação sempre estará ao nosso alcance, e ela vem com a transformação.

No começo da minha vida fui muito solitário. Vivia mais isolado, tal como um tigre, que fica sozinho na selva pois não sentia ainda a necessidade de andar em bando. E também como um tigre ia me virando. Mas cheguei a um ponto em que essa realidade precisava mudar. À medida que ia crescendo, a necessidade de me relacionar com as pessoas, de ser notado, também foi tomando forma em mim.

Quando cheguei aos 14 anos de idade, ainda me sentia deslocado, sem atrativos para que pudesse ser aceito em alguma turma. Com uma timidez terrível, olhava apenas de longe o pessoal da minha idade conversando e se divertindo juntos enquanto eu me escondia com vergonha até da minha sombra. Então foi a partir daquele momento que me veio um *insight*. Estava na hora de mudar. O Luizinho precisava se transformar, romper com aquela casca que o aprisionava num corpo que não queria e com os medos que o travavam e o impediam de viver uma vida como sonhava.

Passei todo aquele ano seguinte numa verdadeira metamorfose. Os exercícios físicos e a mudança da alimentação começaram a fazer parte dos meus dias, e um novo incentivo acabou sendo o marco inicial no que viria a ser parte da minha carreira profissional ao longo da vida. Mais uma vez lá estava a minha avó Dulce. Foi ela que me impulsionou na carreira de modelo, me acompanhando no processo de realizar *books* e fazer testes para comerciais.

Na minha vida fui sempre mais rejeitado do que aprovado, uma vez que sempre fiz escolhas que me levaram a passar pelo crivo das pessoas. Então como não poderia ser diferente, o início da minha carreira como modelo foi constituída de uma sucessão de "nãos".

Dos 15 aos 18 anos, segui fazendo comerciais e revistas, sem o menor jeito para a coisa. Mas, apesar de desajustado, provei para mim mesmo que eu já não tinha mais medo do ridículo. Até de anjo me vesti! E esse trabalho tornou-se meu maior desafio. Foi um grande contrato, para uma loja famosa, num *shopping* movimentado. E, quando vi, eu deveria me vestir com uma sunga, asinhas e um CD com a inscrição "*Virgin Again*" na altura do quadril. Meu mundo caiu. O que eu faço? O primeiro dia foi um terror, via meus amigos passando e eu morria de vergonha. Mas eu tinha que fazer alguma coisa e vi uma oportunidade. Eu me lembrei da Vitrine Viva, que não era comum nessa época. Era uma coisa muito nova, e eu comecei a fazer, sem experiência nenhuma. E começou a bombar! O *shopping* e a loja lotaram! Tive coragem, inovei, cumpri meu compromisso e fiz aquilo que era ridículo se transformar em algo artístico. E fechei vários trabalhos depois.

Foi um processo transformador para quem tinha medo e vergonha de si mesmo. Eu, que tinha medo da exposição ao ridículo, nunca na vida imaginei que iria trabalhar dessa forma, mas fui lá e fiz, pois o processo se transforma mesmo sendo ridículo; ele deixa de ser risível só pelo processo de criação em si, pelo fato de criar algo como uma criança, da maneira mais pura possível.

De transformação em transformação, nascia o Luigi.

Quando me perguntam se as pessoas estão prontas para sentir, chamo a atenção para o fato de que não é que elas estejam prontas ou não, pois a essência está sempre aí. A ideia do processo evolutivo é simplesmente lembrar quem a gente é antes do pensamento.

"O Amor não se pega com as mãos,

o Amor não se obtém com promessas,

o Amor não está no instinto primitivo,

o Amor é o campo do Absoluto,

aonde tudo está contido nele,

que quando fragmentado

*se torna dual e deixa de ser o que era
na origem antes da manifestação.*

O Amor quando em fragmentos

se torna peças de um quebra-cabeças,

*que você pode reconstruir a qualquer
momento em que tenha a intenção e a ação.*

*Mas o segredo para montar é usar o sentir
e depois disso deixar a natureza fluir.*

*É como ter Fé, mas com as portas do
coração aberto para dar e receber com a
ação da doação de forma incondicional.*

*É entrar no Labirinto e transmutar
o Minotauro dentro de você."*

CADÊ O AMOR?

Se me perguntassem onde está o amor, eu diria que ele está neste momento trabalhando dentro de cada um de nós na desconstrução dos muros que criamos para nos impedir de sentir e consequentemente pensar. Quando estamos repletos de barreiras, não enxergamos as inúmeras possibilidades que a vida nos oferece. Não há espaço para a criação, para a manifestação e a realização dos nossos desejos, pois essa contenção, como o próprio nome diz, nos mantém represados e alheios ao que podemos ser de verdade.

No começo da minha vida, e não só nesse começo, mas em todo o seu desdobramento, como você verá mais adiante, a energia do amor que me cerca foi a responsável por transmutar tudo o que era necessário para que eu pudesse existir.

O amor dos meus pais os guiou pelo caminho da fé. Imagine o que é abrir o coração para algo absolutamente desconhecido, que apenas exige de você o sentir, sem o julgamento, sem a contestação para o que vier a acontecer? Muitas vezes estamos inundados de nossas certezas, orientados o tempo todo pela nossa razão, que trata logo de nos desviar do foco de voltarmos para nós mesmos e entendermos o que é a nossa essência.

A partir do momento que a minha família se permitiu sentir, a energia simplesmente fluiu, abrindo os caminhos para que a minha vida ganhasse novo fôlego, livre de uma enfermidade que poderia me fadar a um destino completamente diferente.

Os nossos muros vão sendo erguidos em virtude dos nossos próprios conflitos internos, mas, enquanto houver a presença do amor, eles serão, um a um, desmantelados, independentemente da dimensão que apresentem.

SENTIR PARA PENSAR **39**

O amor funciona como um farol, lançando luz sobre horizontes que estão bem diante de nossos olhos, ainda que imersos no breu. E, quando parece não haver um sinaleiro, as pessoas que estão a nossa volta podem ser exatamente a luz que nos falta.

Sabe aquela pessoa que te incentiva, te faz acreditar mesmo a despeito das suas próprias desconfianças? Essa é movida pelo amor, e também é o seu farol. Apenas permita, tal como uma criança ainda cheia da pureza, da inocência e sempre disposta a conhecer o novo, que essa luz entre.

"Reconheça o Amor e terás Amor, reconheça a tempestade e terás tempestade. Toda identificação gera limitação. Aquilo em que você focar, ali estará sua energia, e aquilo que recebe sua energia ganhará formas, palavras e pensamentos, tornando assim vivo, real."

*O amor se constrói, mas
não dói pois é Amor.*

*Amor se constrói para perdurar...
não é passageiro nem efêmero,
o nome dele é Amor.*

Amor sem dor.

Por que dor se é Amor?

*Não escute mais nada, somente a
música do Amor, a poesia do Amor, o
aroma do amanhecer e do entardecer.*

*Vislumbre aquilo que nunca havia
vislumbrado, apenas olhe e veja.*

Janela da alma eu vejo, seu aroma eu sinto.

*No corpo me faz falta, pois a distância
ainda é um limitante deste agora,
mas, quando para de sentir no
corpo, uma pausa acontece, e logo
estou novamente com você.*

De corpo e Alma.

Te amo, meu eterno amor do presente.

*Acorde com a música que você
desejar ouvir. Não espere. Peça.
Não só imagine, execute.*

*A vida tem seus embaraços para
que possamos desembaraçá-los.*

Vamos, meu Amor.

*Nesta valsa linda... que é a vida neste
Universo que chamo agora de Amor.*

Obrigado, meu Amor, por existir.

Seu cheiro me lembra Amor.

*Sua imagem guardada de cada
instante, também amor.*

Oh, meu Deus!

Estou sentenciado ao Amor Eterno Amor.

*Obrigado pela sentença
que me foi imposta.*

Obrigado, meu Amor.

A DINÂMICA DO AMOR I

Agora vem cá, me conta uma coisa que preciso saber:

Você já disse eu te amo hoje?

Não costuma dizer para ninguém!?

Então sinta, pense e fale: "EEEUUU TEEE AMOOOOOO!!!".

Eu não poderia continuar este livro contando somente a minha história e deixando o mais importante de lado. Meu intuito é, e na realidade sempre foi, ajudar o maior número de pessoas que eu puder – ou seja, 7.800.000.000 de pessoas – e essa missão tem como a porta de entrada o amor.

O amor é o começo, o meio e o fim e não pode faltar na sua vida de jeito nenhum. Quando sentimos a ausência do amor, vem a dor do vazio. A dor do vazio nem sempre é percebida como dor, mas como incômodo sem nome, angústia sem palavras, insatisfação injustificada. Por vezes nos sentimos assim, e pode ser bem no meio de uma tarde de verão. O amor, portanto, se faz necessário como o ar, para que a luz do dia não se torne trevas bem em meio ao sol a pino.

Se você já experimentou a sensação de não se sentir amado, de sentir dificuldade de dar amor, ou mesmo não amar, esta dinâmica é para você.

Frequência, vibração e intensidade

Para começar a modificar o *status* do amor em sua vida, primeiro é preciso identificar como estão atualmente em você três estados interiores que o nortearão para todas as experiências que vivenciar a partir da agora: frequência, vibração e intensidade.

Cada uma dessas três partes está associada à energia, que nada mais é do que nosso impulso vital. A energia faz parte do nosso código genético, está em nosso DNA, e nos coloca em movimento em todos os sentidos: nossos impulsos elétricos, que estão em todo o nosso corpo, movimentam nossas células, levando sangue e oxigênio por toda a parte, e isso é a energia que nos mantém vivos.

Essa mesma energia movimenta nossos músculos, garante que todos os órgãos estejam em funcionamento e está presente o tempo todo em cada indivíduo. Quando em equilíbrio e num fluxo contínuo, garante que tenhamos uma qualidade de vida, refletindo-se em bem-estar, relaxamento, melhoria no raciocínio e alta vitalidade. Agora, imagine se essa energia estiver estagnada, parada aí dentro de você? Se você pensou em problemas de saúde, dores e tudo quanto é tipo de complicação em sua vida, acertou!

Sabemos que, dentre as medicinas tradicionais e naturais, há linhas de tratamentos como a acupuntura e o *shiatsu*, que trabalham com os nossos meridianos e são meios de soltar a energia represada, ainda que sejam considerados pequenos impulsos para esse intento. Outras práticas, como atividades físicas, dança e meditação, são também maneiras de não deixar a energia nem se esvair nem ficar represada. Mas o que vou propor aqui a partir de agora são algumas técnicas diferentes para que você aprenda a liberar a sua energia e consequentemente sintonizar na frequência do amor.

Veja bem, não se trata de qualquer frequência, mas sim aquela que está sintonizada na maior força do Universo. Agora, se você está se perguntando o que raios vem a ser frequência aqui nesta nossa conversa, vem comigo que eu te explico.

Imagine a seguinte situação. Você decidiu que vai começar a meditar nesta semana e já sabe que precisa se preparar e reservar um momento particular consigo mesmo para isso. Acontece que o dia que você resolve meditar é o mesmo em que marcaram aquela feijoada, daí você pensa consigo mesmo que não pode fazer essa desfeita de recusar, então não só comparece ao evento da feijoada como, sem cerimônia, come tudo que tem por lá duas vezes. Ao sair da feijoada, eu garanto que a frequência na qual você entrará será pesada, uma baixa frequência.

Perceba que, nesse simples exemplo, a frequência é apresentada como o nosso ritmo e estado físico e mental diante da vida. Assim como um rádio emite chiados ao não estar sintonizado numa frequência definida, se estamos fora de frequência não emitimos a vibração correta. E aqui chegamos ao segundo estado interior que precisamos cuidar para nos colocar na sintonia do amor.

Qual foi a última vez que você vibrou de alegria? Busque agora na memória aquele momento que você sentiu uma emoção tão grande que te fez dar mesmo pulos do chão. Nesse momento que você resgatou aí do seu baú de lembranças, a sua vibração estava alta.

A vibração é o movimento da energia em nós. Assim como ondas são propagadas tanto em nosso interior quanto no exterior, ela também acontece o tempo todo como um fenômeno da nossa natureza humana. Somos seres vibracionais por sermos dotados dessa capacidade energética, e essa vibração pode ser modulada em polos. Pensou em positivo e negativo? Acertou de novo! Você arrasa!

Agora vamos analisar brevemente o que nos faz ter uma alta ou uma baixa vibracional. Imagine, por exemplo, que você teve uma briga com o marido em casa ou entrou numa discussão no trabalho. Como foi o sentimento nessa hora? Provavelmente uma raiva que te deixou reativa e na sequência uma tristeza, aquela sensação de frustração porque no fundo não queria que nada daquilo tivesse acontecido, não é mesmo? Esses movimentos hostis, tensos de conflitos, brigas, raiva, irritação estão todos na mesma frequência e vibração baixas, o que notadamente detonam a nossa energia. Pode reparar como você se sente geralmente fraca ou cansada quando se pega numa *bad vibe** dessas. Por outro lado, pause tudo o que você está fazendo agora e lembre-se do momento em que você realizou um grande sonho na sua vida, como ter segurado seu filho nos braços, ter pegado as chaves da casa própria nas mãos, ou mesmo ter ganhado um caminhão de prêmios! Nesta última eu sou testemunha ocular de toda a forte vibração positiva das pessoas que foram agraciadas por verdadeiras fortunas. Ou seja, a alegria, a felicidade, a gratidão e o amor em si são responsáveis por elevar a nossa vibração; e, uma vez em alta, ninguém te segura!

Muito bem. Agora que você já conheceu os dois primeiros pilares que vão te colocar no caminho do amor, falta apenas compreender o terceiro e último pilar, que é a intensidade. Pegando um pouco da explicação física, a amplitude de uma onda está ligada diretamente à intensidade, ou seja, a sua frequência e vibração corretas só terão um alcance maior em sua vida a partir do momento que você aplicar a intensidade necessária para essas duas forças.

---

* Em português, "má vibração" ou "má energia". (N. E.)

Vamos lá, quando foi que você desejou intensamente algo em sua vida? (Atenção para a resposta na própria pergunta!) Se você já sentiu uma vontade "intensa" de algo, provavelmente pensou nesse algo quase o tempo todo, se mantendo firme em algum propósito para então conquistar esse objeto de desejo. Eis aí um exemplo de intensidade! Quando você concentra a sua energia, sua atenção, mantendo o foco naquilo que verdadeiramente você quer, todo esse movimento chama-se intensidade, que, assim como a vibração, pode ser alta ou baixa.

É praticamente impossível não falar em intensidade em qualquer movimentação que fazemos na vida. Por falar em movimento, agora que compartilhei com você os três estados interiores de que precisamos cuidar diariamente, vamos enfim à nossa primeira dinâmica!

1. Liberando o corpo e a mente para recarregar a energia

Nesta primeira dinâmica do amor, você precisará basicamente respirar. Mas, antes de qualquer pré-julgamento, se acalme e preste atenção.

Respirar é sim um ato involuntário, que ocorre 24 horas por dia, sete dias por semana. Porém, a respiração da bomba de bicicleta não é essa respiração costumeira que fazemos. Se você já usou uma bomba de bicicleta alguma vez na vida ou já viu alguém utilizando essa ferramenta, sabe que um esforço de bombear é feito para insuflar o pneu cuja câmara de ar esvaziou. E assim como o pneu murcho de uma bicicleta está o nosso coração quando não estamos vibrando no amor, quando não estamos vivendo na sua frequência e realizando com essa intensidade em nosso dia a dia.

Se você, por exemplo, anda com dificuldade de dizer eu te amo, de perdoar, de se livrar de sentimentos de raiva, rancor, amargura e toda a parafernália vibracional de péssima qualidade, este exercício será o começo da sua jornada para libertar o seu corpo e a sua mente e recarregar as suas energias em busca do caminho do amor.

O exercício da respiração bomba de bicicleta pode e deve ser realizado toda vez que você se sentir num baixo estado vibracional, em especial se estiver diante de alguma situação difícil, tensa e estressante. Você irá repetir com a boca vários sopros rápidos e curtos como se estivesse enchendo uma câmara de ar invisível, e ao mesmo tempo sentindo o abdome contrair e expandir na mesma sequência. Em poucos segundos você já experimentará uma sensação nova, provocada pela oxigenação extra no cérebro, seguida por uma sensação de relaxamento também liberada por essa oxigenação. Repita quantas vezes for necessário.

Pode não parecer, mas nesse simples exercício você já terá a liberação de um padrão de pensamento tóxico, poderá experimentar a capacidade de mudança vibracional, pois as câmaras dos seus pulmões e coração, que antes estavam vazias e à mercê da falta de amor, agora estarão energizadas pela respiração que cura.

Liste todas as situações que te causam estresse, em seguida mentalize-as durante o exercício e então perceba que, após a liberação do oxigênio, você já estará em outro estado mental para encarar todas essas coisas. Haverá uma transmutação da raiva, ou mágoa, ou medo, não importa o nome, para o estado suave do amor.

Na minha descoberta, a vida se tornou um flow,
Onde trabalho, lazer, amigos, família, espiritualidade,
materialidade, natureza, animais, Deus, acontecem
ao mesmo tempo me trazendo Plenitude.
O que te motiva?
O que move você?
Qual a direção que você dá a sua vida?
Crie a sua vida,
Uma vida que vale a pena ser
vivida, e basta você decidir.
Clareza nos pensamentos, entendimento de
onde você está e aonde quer chegar.
Mas, para isso, é preciso que você saiba quem Você é,
o Você de verdade,
o Você de essência,
e não o Você programado pelas circunstâncias,
pelas pessoas, pelos grupos.
Para de querer pertencer. Você já pertence,
só não enxerga o lugar, não enxerga os
grupos que irão fazer você evoluir.
Se não está, é porque você precisa se
mover e não desconectar daquilo que te
traz esta sensação, e sim transformar.
Se você percebe um defeito em alguém, em vez de
querer mudar o outro, transforme o outro em você.
Tudo de bom e ruim que você percebe fora de você
é aquilo que você precisa transformar dentro de
você, para que você viva uma Vida plena e no Amor.

A VONTADE DE SE VENCER

II

"O Universo sempre conspira a seu favor."

Você já experimentou a sensação que a vontade de "se" vencer provoca? É isso mesmo, você não entendeu errado, estou falando de vencer a si mesmo, o que vai muito além de apenas vencer no sentido de conquistar alguma coisa. Mesmo que você seja uma pessoa comum, se considere cheia de medos, timidez ou até mesmo com incapacidades para realizar o que deseja, é mais do que possível você trabalhar para se vencer. E digo isso hoje com tranquilidade porque já fui exatamente assim.

Antes de me tornar quem sou agora, costumava travar uma luta contra a minha baixa autoestima, com o medo constante e o sentimento de ser incapaz para quase tudo. Eu era aquela pessoa que jamais conseguia enfrentar alguém, tamanha a fragilidade em que me via. Mas, apesar de tudo, eu trabalhava para vencer, porque eu tirava forças do próprio medo e seguia em frente. Não era corajoso, muito pelo contrário, morria de medo de fazer as coisas; mas sentia que deveria ir, então eu ia. Às vezes nem sabia o porquê desse movimento que me impelia a percorrer caminhos desconhecidos; mesmo assim eu não desistia, pois a minha vontade de vencer a mim mesmo sempre foi muito maior.

> A vontade de se vencer é a chave para as respostas que insistem em não aparecer quando nos vemos diante de situações complexas.

Para você ter uma ideia, sempre quis trabalhar, mas não sabia ao certo com o quê. Cheguei a me desesperar em alguns momentos. Sentia que não tinha inclinação para nada e ficava sempre me perguntando "O que eu vou fazer da vida?" – se você se identificou nesse momento, não se preocupe, pois nunca somos os únicos a enfrentar essas inseguranças diante da vida.

Computador e tecnologia estavam no início e aquilo aquecia o meu peito e eu sentia que esse era o caminho. Diante dessas questões fui cursar Processamento de Dados enquanto trabalhava como modelo, com então 18 anos de idade. Cheguei também a fazer cursinho para entrar na faculdade, mas tudo era um processo muito árduo, com a dificuldade de estudar agravada por uma dislexia que insistia em me assombrar. Eu não aprendia, eu repetia. Tinha dificuldade de compreender. Ainda assim, não é que eu resolvia meus problemas!? Sim, por incrível que pareça! Eu resolvia meus problemas porque eu era adaptável – e continuo sendo até hoje – e também porque a vontade de se vencer é a chave para as respostas que insistem em não aparecer quando nos deparamos com situações consideradas complexas, afinal nunca queremos perder para nós mesmos, então lutamos até o fim!

"Sonhar não custa nada, mas realizar custa a sua intenção e ação. Nada adianta sonhar e não viver o seu sonho."

Quando parecia que as coisas iriam ficar um pouco mais tranquilas, após três anos trabalhando como modelo e finalmente deixando de me tremer todo diante das câmeras dos fotógrafos, as mudanças na minha vida chegaram todas sem aviso e de uma só vez: me tornei pai aos 19 anos, fui praticamente expulso da agência de modelos por ter voltado a engordar – e hoje dou graças ao Criador, porque isso me permitiu ir atrás das novelas –, e o plano Collor, ao confiscar a poupança dos brasileiros no final da década de 1980, terminou de acabar com tudo. Assumi a minha paternidade e precisava sustentar a minha filha, Rúbia, mas ao mesmo tempo fiquei sem trabalho e sem dinheiro, que àquela altura havia acabado completamente.

O que é que eu faço? Começo a virar sacoleiro. Naquela época, meu tio Eduardo, que tinha uma loja na praia porque havia resolvido mudar de São Paulo e morar no litoral, me viu largado naquela situação, me levou uma camiseta e disse: "Pega, testa isso. Você pode vender essa camiseta e ver o que sente". Então, de uma eu fiz duas, e depois quatro, oito, e em três meses eu tinha três vendedoras. Sabe como? Eu criei um sistema de analisar todas as mulheres que eu conhecia do *casting* de modelos da agência em que eu já tinha trabalhado. Eu era um modelo e vi uma oportunidade de vender roupas para as produtoras das agências e modelos. Elas trabalhavam e não tinham tempo de sair para comprar. Então foi assim que observei o estilo delas e comecei a comprar várias peças de vestuário e acessórios, e na sequência voltava e mostrava a todas aquelas moças, sem que houvesse o compromisso de comprar. Eu sempre comprava três tamanhos e, já sabendo o gosto delas, levava para as agências, e elas nunca deixavam de comprar. Sempre faço uma grande homenagem às mulheres, porque foi naquele momento que eu aprendi que mulher deixa de comer, mas não deixa de comprar roupa e sapato! E foi assim que comecei a ganhar muito dinheiro, tanto que andava com um monte de notas nos bolsos.

> Quando a fonte de renda como modelo secou, peguei a minha sacolinha e fui vender. Meu orgulho? Engoli! Qual o problema de virar sacoleiro? Eu precisava!

Por isso que, quando a fonte de renda como modelo secou, peguei a minha sacolinha e fui vender. Meu orgulho? Engoli! Qual o problema de virar sacoleiro? Eu precisava! E comecei a ganhar muito mais dinheiro dessa forma do que antes, como modelo. Além disso, depois de ampliar o sistema de vendas em cerca de três meses, já nem vendia diretamente mais, pois passei a contar com três vendedoras e até mantinha um quarto inteiro no apartamento em que eu morava só para as roupas que vendia. Eu ia pessoalmente para o Brás e a José Paulino, comprava certa quantidade com volume e obtinha uma variedade que ninguém tinha. Literalmente, enchia com as peças de roupa o meu Alfa Romeo branco, que foi do Adhemar de Barros Filho e não tinha ré, o que me fazia parar só em lugar íngreme senão não conseguia sair. Olha quanta coisa louca!

Na realidade, desde cedo aprendi a encarar qualquer situação pela necessidade. Cheguei a vender ovo de Páscoa com meu pai em algumas empresas, o que era algo inovador na época. As pessoas compravam os ovos no mercado, mas nós levávamos para as fábricas, e o valor era descontado na folha de pagamentos dos funcionários. Recebíamos os pedidos na Páscoa e no Natal. Não que fôssemos comerciantes natos, mas a necessidade nos levou a fazer o que fosse preciso fazer.

Muitas e muitas vezes as pessoas têm medo de se arriscar em algo novo. E sabe por quê? Porque esse é o medo da desaprovação. De repente você está dentro de um sistema, vive inserido em um processo no qual se você mudar aquilo que as pessoas já estão acostumadas a te verem fazendo, provavelmente será julgado. Mas na realidade não é bem assim, porque isso é a sua percepção, o seu julgamento. O erro está na nossa percepção sobre aquilo. Então, se você tem a oportunidade de fazer alguma coisa nova, vá e faça!

Se fôssemos parar para analisar a relação entre sacoleiro e modelo, cara… de modelo para sacoleiro, seria uma imagem deturpada, concorda? Sabe, cheguei àquele ponto de pegar a sacola mesmo a tiracolo e ir à luta. Mas eu criei um processo tão bacana que hoje assemelho ao mesmo caso retratado no filme *A vida é bela*, ou seja, eu interferia na percepção de como as pessoas viam as coisas. Em vez de eu me sentir péssimo, eu pensava na facilidade que estava proporcionando para aquelas mulheres que não tinham tempo de sair; eu levava praticidade, comodidade e, além de tudo, peças customizadas para elas. Então, o que acontece nesse caso? Eu não era um sacoleiro. Eu era um especialista.

No começo eu fui sacoleiro e não sabia o que ia acontecer, mesmo assim fui lá e comecei a vender. Mas nesse ponto quero que você entenda que a gente pode mudar a nossa percepção a qualquer instante, pois, uma vez mudando a nossa percepção interior, a gente também altera a percepção exterior. Eu passei de sacoleiro, que levava as roupas para as mulheres, a um especialista que entendia do mercado da moda. Veja que eu não comecei a ser sacoleiro para permanecer como sacoleiro. Eu comecei como sacoleiro mas em pouco tempo me tornei especialista, seguindo sempre num processo de evolução intuitivo.

LUIGI, O ATOR

Pouco tempo depois, o Luigi sacoleiro está no Paraíso, em São Paulo, trabalhando com as suas vendas perto de uma produtora chamada Croma Filmes, até que uma produtora o aborda: "Luiz, tem uma pessoa que está fazendo uma produção independente, e eu pensei em apresentar você". Na hora disse a ela, "Me fala quem é?". Aquele momento selou o início de um grande ponto de virada na minha vida, pois a pessoa a quem eu logo viria a ser apresentado era ninguém menos que Geraldo Vietri.

Vietri foi um grande diretor que aos 18 anos já tinha feito seu primeiro filme. Mas eu só vim a conhecê-lo quando já estava bem velhinho mesmo, durante uma transição da televisão. Criamos uma relação bonita de amizade, pois eu adorava conversar com ele, então, às vezes eu saía de casa, ia lá para onde ele escrevia, assim com os dedos como que catando milho numa máquina de datilografia, e aprendi tanto com o Vietri, vendo a estrutura que ele construía, que tempos depois o ajudei pessoalmente a escrever uma cena da minissérie *Veredas*.

No passado, ele trabalhou na Tupi, em seguida na TV Globo, fez incontáveis produções na teledramaturgia e, então, se aposentou. Contudo, pouco tempo depois disso, ele ressurgiu com a Zaccaro Produções, fazendo uma produção independente para entrar na TV Record, afinal a Zaccaro ia começar a fazer dramaturgia. Com a criação de *Os domênicos,* que foi para a Record e não era uma novela, mas uma série que retratava uma família italiana, o Vietri praticamente estruturou o primeiro programa independente na televisão brasileira.

Os domênicos foi exibida quando existiam apenas TV Globo e Manchete basicamente, ou seja, não havia ainda a cultura de terceirização. E ali foi um processo terceirizado. Fazer uma produção independente hoje é normal e até melhor às vezes, mas naquela época a TV Globo detinha o domínio, e havia a TV Manchete querendo beliscar a audiência, e as tevês produziam seu conteúdo, por isso não queriam ouvir sobre produção independente *nem a pau.*

Quanto a mim, eu não tinha ideia do que era atuar, então, quando recebi o convite para gravar *Os domênicos,* onde vivi meu primeiro personagem, "Luigi", simplesmente já entrei fazendo. Ficava nervoso, não sabia o que falar, mas mesmo assim meti as caras e fiz! Era um milagre todos os dias quando entrava naquele *set* de gravação. Chegava num *cagaço*, mas para mim ainda era mais fácil enfrentar e fazer o que tinha de fazer do que ir embora e desistir. Não à toa, esse foi o momento na minha história em que o Luiz Fernando deu espaço para o Luigi, nome artístico que nunca mais se dissociou de mim.

Eu não me acovardei diante daquele convite mesmo nunca tendo feito curso para ser ator. Antes, como modelo, eu também tremia nas bases para fotografar, mas eu apenas seguia em frente e me colocava diante das lentes dos fotógrafos. Eu chegava para fazer o teste, o trabalho, e os caras eram muito *fodásticos* e, mesmo tímido do jeito que eu era, o impulso me fazia vencer a mim mesmo, diariamente.

Mas veja que interessante: intuitivamente, eu nunca me defini como aquele único papel que eu estava sendo. Então eu não me defini apenas como modelo, ou sacoleiro, ou ator, ou apresentador. E, ao não me identificar como sendo apenas um ou outro e não criar uma limitação na minha vida, pude realizar todas essas transições. Quando a gente se identifica como sendo de uma única forma, "eu sou isso", você já definiu que é e acabou. Se você é só isso, tudo bem. Mas saiba que a grande oportunidade de uma vida é você entender que você não é só isso!

Se você se define apenas de uma única forma, em uma atividade ou profissão exclusiva, você não explora as possibilidades do seu talento. Em vez de determinar somente uma única maneira de viver, você pode estabelecer várias outras, e sabe como? Observando e diferenciando aquilo que é realmente da sua alma daquilo que é apenas da sua razão. Muito mais do que missão e propósito, quando você identifica que o projeto de vida que você está fazendo vem da sua alma e percebe que não foi algo imposto pela sua criação familiar ou pela sociedade, você finalmente é capaz de explorar várias possibilidades existentes dentro de você.

Assim como sempre fiz, naquela época eu me virava com tudo, então eu fazia *Os domênicos,* mas ainda tinha contato com a agência de modelos e me mantinha conectado com as pessoas que conhecia. E foi bem nessa ocasião que a atriz Cristiana Oliveira, que estava para fazer uma foto para uma revista que exigia a figura de um homem, me escolheu entre várias pessoas no *book* da agência para ser o seu par nesse ensaio fotográfico.

Nada disso foi por acaso, porque eu não estava ativo como modelo. Uma coisa é você estar no auge, ocupando um lugar, sendo visto, o que no caso poderia ter justificado de maneira mais lógica a escolha da Cristiana por mim. Agora outra coisa é, de repente, ela pegar uma foto dentro de milhares naquele *book* da agência, uma única foto de quadradinho entre várias fotos de quadradinhos, e me selecionar naquele momento.

Essa escolha mudou todo o processo da minha vida, pois foi a partir desse ponto que eu criei uma relação de amizade com uma baita atriz que estava no auge da carreira e fui parar na Manchete por meio de sua indicação. Eu fui escolhido pela Juma Marruá... nem era a Cristiana Oliveira, mas a própria Juma Marruá!

Perceba que interessante: as pessoas podem nos afetar tanto para o bem quanto para o mal, mas geralmente só lembramos daquelas que nos afetam pelo mal e nos esquecemos das que afetam pelo bem. A Cristiana foi uma dessas pessoas que me afetaram para o bem, e ainda mais no momento certo, pois imagine se ela me escolhe antes de *Os domênicos,* que foi a minha primeira experiência como ator? Eu não teria ido para a Manchete.

Você entende que isso não foi ao acaso? Antigamente cheguei a acreditar que as coisas aconteciam dessa maneira, mas, depois de experienciar momentos cruciais em minha vida, que

SENTIR PARA PENSAR **65**

chegavam como respostas realmente a tudo aquilo que eu buscava, passei a ficar cada vez mais atento aos sinais que a vida nos dá. Esses sinais chegam por meio das oportunidades que surgem em nosso caminho, mas, para que possamos agarrar essas oportunidades e transformar a nossa vida a partir delas, é preciso primeiro ouvir a voz da intuição.

Ouça e enxergue os sinais que são mostrados para você, porque, se você não se atentar para esses sinais e não os seguir, não criará a oportunidade que tanto busca. Por outro lado, quando você segue cada sinal que lhe é apresentado e se depara com a oportunidade, você se torna criativo e entra em ação. Você passa a acreditar e criar a vibração certa para aquilo que deseja, fazendo com que seus movimentos sejam direcionados para a manifestação das oportunidades.

Sabe a tal história de plantar as sementes? Eu acredito que qualquer sistema de coisas é igual a uma semente. Você cuida do plantio e depois vai tendo ciclos de crescimento. Veja o meu processo, por exemplo, com a televisão, que teve toda uma preparação antes. Eu fazia processamento de dados. Como que de repente eu entro no meio artístico estudando uma área completamente diferente? Daí começo a trabalhar como modelo, todo tímido, de uma timidez absurda, mas mesmo assim eu fui modelo. Depois de modelo, fico sem grana. Sou obrigado a me virar, pego roupa, mas nunca deixo de estar presente. Aquilo não era uma humilhação, era um processo, e o deixei em aberto. Nesse processo de sacoleiro, comecei a conhecer pessoas também e a estar cada vez mais perto das televisões. Naquela época, entrar na televisão não era uma coisa aberta como é hoje, era hermético mesmo. Então, para furar essa bolha e literalmente quebrar aquele padrão de que só fazia televisão quem já era ator e já vivia desde sempre naquele meio, eu primeiro cuidei das minhas sementes. Eu as plantei, ainda que intuitivamente, orientado pela minha constante vontade de vencer a mim mesmo. A vontade tem energia.

Eu não faço o possível.

*Eu faço o meu Melhor, o Melhor que posso
fazer agora e assim sucessivamente.*

*O Possível é possível de se fazer e se torna um
Comodismo para não fazermos o Melhor, pois me
acostumo a fazer o possível, e não o melhor.*

*Faço o melhor nas minhas condições e construo
condições melhores para fazer O Melhor.*

E faço o Melhor, porque simplesmente quero fazer O Melhor.

Gosto de fazer, me sinto bem

*A construção do Melhor é fazer melhor, O Melhor
que posso fazer agora, com as condições que
construí para fazer agora este melhor.*

Por que fazer o Possível se podemos fazer o Melhor agora?

*Faça o seu melhor e nunca irá se
culpar ou mesmo arrepender.*

*Aquele que faz o melhor em uma disputa esportiva,
mesmo que ele perca, não vai se sentir culpado ou
desanimado, pois fez o seu melhor e irá parabenizar
seu adversário já que ele fez melhor e isso se torna um
combustível para o próximo embate de fazer melhor.*

*Não se contente com o possível, não pense
no possível, pois você é muito melhor*

QUE VONTADE É ESSA?

Já me perguntaram certa vez sobre a vontade. Será que vontade vem pronta? Como se faz para ter vontade? E aqui não se trata de uma vontade qualquer, mas daquela que nos leva a plantar as nossas sementes, que nos faz perseguir o caminho das conquistas, a vontade de se vencer.

Assim como toda vontade, essa também não nasce do nada. Somos nós mesmos que a produzimos, pois é preciso haver uma motivação. Já imaginou a seguinte cena: "Ah! Ó, Papai do céu, me dê a vontade!". Deixa eu te explicar, Papai não vai fazer isso para você. Como é que você vai pedir ao Criador ou a quem quer que seja para criar algo que é seu? Você tem que criar a sua vontade! Do contrário, não será a sua vontade, mas a vontade do outro que a criou.

Mas como é que se cria uma vontade dessas então? Muito simples! Basta pensar numa coisa que aquece o coração – olha aí mais um exercício de *sentir para pensar*. Tudo aquilo que faz o seu peito aquecer é bom porque te coloca na frequência do amor, fazendo com que sua vibração aumente. E sabe o que isso gera? A energia necessária para você criar novos espaços em você para realizar o que verdadeiramente veio para fazer nesta vida. Já o contrário disso tudo são aquelas situações que começam a te deixar com a mente agitada, fazendo com que a sua vibração diminua, se identificando com uma baixíssima frequência, o que é realmente péssimo. É nessa zona, que podemos até chamar de "inferninho", que você não enxergará mesmo qualquer vontade.

Agora, outra forma de as pessoas se ligarem nas próprias vontades e na vontade principal, que é a de vencer a si mesmo, é começar a sentir os incômodos. Note, por exemplo, quando uma pessoa entra num processo de mudança de hábitos, de comportamento, de vida. O que acontece? Basicamente, primeiro ela precisa estar numa inconformidade com alguma coisa para se movimentar em direção a uma quebra de padrões. Uma insatisfação vai ser gerada em relação a um estado anterior em que ela vivia e então continua perpetuando. E, até que essa pessoa comece a fazer suas próprias transformações, partindo da definição da vontade de se vencer e consequentemente romper barreiras, ela continuará se sentindo incomodada.

Eu me senti muito incomodado até antes de começar a fazer as minhas próprias transformações. Primeiro eu me senti incomodado com meu físico, então fui lá e mudei. Depois eu fiquei inconformado quando a fonte como modelo secou, então fui lá e mudei. Quando me vi na figura do ator, não me conformei em fazer apenas um papel, então fui lá e agarrei a oportunidade que surgiu bem diante dos meus olhos. E cada momento desse sempre foi impulsionado pela vontade maior em mim, que era a de me superar, de quebrar aqueles muros que comentei com você no início deste livro.

Agora, tem outra situação que é a seguinte: a pessoa admite "ok, eu me sinto incomodada", porém apenas reclama desse estado. Ou seja, ela não faz por onde mudar e só reclama! Mas sabe por quê? Porque é mais fácil reclamar, apontar o dedo, "ah o fulano, olha o ciclano, olha não sei quem" e aí não aponta para si. Fica reclamando para fora e não trabalha para dentro. É mais fácil não participar, não pensar, deixar que o outro pense por mim, não é? Mas aqui já faço um alerta. Isso é o ego falando mais alto e deixando pessoas assim cada vez mais longe de sua autorrealização.

No ato de reclamar, por exemplo, eu me coloco na postura do sofredor: "Ah, tudo de ruim acontece comigo". Contudo, eu aponto apenas o que está para fora e não cuido do que está dentro da minha própria casa. "Ah, eu sou vítima das circunstâncias!", "Ah como os outros me maltratam...". Pare de perder tempo com o que não te move em direção às suas vontades e faça o que você tem que fazer!

Sabe aquele momento em que você quase parou na curva, reclamando que estava cansado ou exausto? Não pare agora, não! O combustível já está bem aí dentro de você, isso mesmo, o amor. Basta se lembrar, sempre que se sentir assim, que a sua vontade de se vencer sempre será maior do que o obstáculo à sua frente e mandar ver!

*NUNCA vou ser derrotado
pelo meu Pior Inimigo,*

EU mesmo.

*Minha essência, ela aceita, ela
recebe esse inimigo e se torna ele
para depois o TRANSFORMAR.*

As vozes interiores que te fazem ter dúvida,

te trazendo medo,

te paralisando,

fazendo você procrastinar,

tirando sua energia,

*muitas vezes tornando o seu
colchão uma areia movediça.*

*Imóvel você fica, pois se mexer é
pior e, se ficar, vai ser absorvido.*

*Se ficar o bicho pega, se
correr o bicho come.*

A DINÂMICA DO AMOR II

Esquentou o peito?

Não tem jeito, é a única forma de se entender a verdade ou não.

Tem que esquentar o peito.

E não adianta ficar botando maçarico para

ficar esquentando o peito, não!

Ah, eu não te falei!? Sim! Saiba que você acaba de ganhar uma dinâmica a cada novo capítulo deste livro! As dinâmicas do amor que você encontrará aqui são feitas primeiro com amor para que você descubra por que o amor é o caminho sempre.

Por mais que pareça competitivo à primeira vista, numa espécie de disputa consigo mesmo, o ato de se vencer na realidade é uma grande evidência do amor, e daqueles dos mais essenciais, senão o mais essencial, que é o amor-próprio. Sem esse amor, não há energia vital que sobreviva num corpo. Não tem como dizer que você ama alguém, marido, filhos, família, amigos, se você não amar a si também, e a ordem tem que ser essa, tá? Você primeiro. Por quê? Porque esse é o amor de base, que originará todos os outros.

Quando decidimos que precisamos perseguir um sonho, um desejo, uma vontade, muitas vezes precisaremos superar barreiras, enfrentar desafios, e nessa equação o elemento determinante será a nossa atitude diante de cada situação.

Vem cá, conta aqui para mim qual foi a vez que você realmente teve uma conquista em sua vida que não lhe exigiu aquela força praticamente espartana para chegar até ela?

SENTIR PARA PENSAR **73**

Se você já teve que deixar a sua cama antes de o sol despontar, mesmo cansado, com sono acumulado por, na noite anterior, ter acabado suas tarefas bem tarde, e então enfrentar a selva de pedra lá fora, você já venceu a si mesmo.

Se você já teve que abrir mão daquela vontade imediata, como um jantar naquele restaurante bacana no final de semana ou aquela viagem em um lugar paradisíaco antes mesmo de chegarem as férias, porque você precisa concentrar suas economias na compra da sua casa, ou no futuro dos seus filhos, você já venceu a si mesmo.

Se você já teve que enfrentar uma multidão encarando você, todo duro de medo de falhar, ou suando no colarinho de nervoso com pavor de esquecer o texto da apresentação, mas mesmo assim ao final você entregou o que foi lá entregar, você já venceu a si mesmo!

Todas as vezes que você tiver que superar de alguma forma seus instintos básicos, desejos, emoções e atitudes impulsivas, ou seja, todos os elementos que formam o que conhecemos como nosso "sistema límbico", você estará vencendo a si mesmo, e sabe por quê? Porque a vontade de se vencer é também uma manifestação da maior força do Universo, o amor. E que amor! Experimente não estar com esse seu amor-próprio em dia para ver o que acontece!

A expressão do amor que temos por nós mesmos se traduz na energia que manifestamos para nos tornarmos sempre a melhor versão de tudo aquilo que podemos ser.

Fale a verdade: quando você supera as suas próprias expectativas diante de novos desafios em sua vida, a sensação não é de uma baita força incrível? Tenho certeza de que essa energia é daquelas de esquentar o peito! E esquenta porque é a emoção que vem do coração, não tem jeito.

A vontade de se vencer vai jogar a sua energia sempre lá no alto, pois a rota ao encontro com essa vontade manterá o seu GPS da vibração e da frequência na direção certa. É virar à direita em direção à frequência do acreditar que é possível, mantendo-se por todos os quilômetros na alta intensidade – é "intensidade", não velocidade! – e chegar ao seu destino final, que é na vibração do amor. Chegou aí, você venceu!

A essa altura do campeonato, você já percebeu que, para percorrer o caminho do amor que te leva a lugares extraordinários neste Universo, a vontade de se vencer é rota obrigatória. Não adianta pegar atalho! Mas calma, que aqui comigo você pode se considerar no *pit stop*, sendo preparado para sair tinindo em direção a sua vitória. Conheça agora como você manterá a vontade de se vencer sempre pronta para ser ativada na sua vida.

1. Identifique o seu incômodo

O primeiro passo é identificar o que está aí dentro dessa cabeça, querendo tomar espaço no seu coração e causando o tumulto do desassossego dentro do seu ser. O meliante, o causador de tudo isso é o chamado "incômodo", porém, apesar de ter todas as características de inoportuno, o danado carrega consigo justamente a oportunidade para tudo aquilo que queremos mudar em nós.

Quando o incômodo chega, entra pela nossa porta e resolve ficar, esparramadão no sofá, ele pode chegar tanto fazendo estardalhaço quanto se mantendo na surdina, mas o fato é que ele jamais irá embora se não resolvermos a nossa situação com ele.

Agora você está se perguntando como resolve, não é? Se vai dar trabalho? Vamos dizer que vai depender do seu ponto de vista, mas vem cá, coloca aqui esses óculos com as lentes do amor, que vai ficar muito melhor continuar nessa caminhada.

Ok. Incômodo instalado aí dentro, as engrenagens da vontade de superá-lo vão começar a dar sinais de vida, pois é um movimento natural. E essa é a hora em que você deve aproveitar para colocar o seu sistema límbico no devido lugar para que ele não atrapalhe a jogada; na realidade, o seu jogo mental. Essa é a partida da vontade de se vencer começando!

2. Equilibre seus níveis energéticos

Você se lembra do exemplo da feijoada que já te contei aqui, né? Vou te contar mais um agora, para você ver como a energia comanda tudo quando se trata da vontade de se vencer.

Vamos dizer que você esteja querendo perder peso há tempos. Já disse que vai começar uma nova dieta na quarta-feira, afinal segunda e terça foi muito corrido e não deu tempo de pensar nem cozinhar direito. Acontece que quarta também foi um daqueles dias em que você não conseguiu resolver nada na sua vida, foi dose pra caramba. Aí você fala: "Ah, preciso dar uma relaxada quando chegar em casa. Acho melhor pedir uma pizza com aquela borda recheada porque eu mereço depois desse dia!". E não sendo o bastante: "Puxa, faltou um docinho…". O movimento, em vez de ser do sofá para uma corrida na esteira, é do sofá para uma andada arrastada até a geladeira!

Perceba como mais uma vez a frequência aqui está completamente equivocada. Como é que você espera perder os quilos a mais quando não sintoniza com a sua verdadeira vontade? Exatamente, a conta não fecha. Isso só vai acontecer na sua vida quando você encontrar a porta que te dá acesso à autodisciplina – quer Porta da Esperança melhor do que essa!?

Essa porta está aí dentro de você, e para acessá-la o exercício será o de equilibrar os seus níveis energéticos. Aqui, você precisará trazer o princípio da primeira dinâmica, o da respiração, e diariamente, nesse momento de lembrar de respirar, soltar o seguinte comando para o seu sistema límbico: "a minha vontade de me vencer é muito maior".

Soltou a mensagem, pronto. Agora é se forçar mesmo a quebrar o padrão que te coloca na rota do que você não quer para a sua vida! Levantar do seu sofá para pegar aquilo que joga contra a sua vontade de perder peso não vai te levar para a zona de conforto, mas sim para a zona de inferno, porque a frequência não vai casar com o que você busca, e a sua consciência está aí para te mostrar isso. Todas as vezes que você levantar do sofá a partir agora, dome o seu sistema límbico e mude seu padrão de comportamento.

Levante do sofá e vá arrumar a sua cama!

Levante do sofá, calce o tênis e vá caminhar lá fora!

Levante do sofá e vá beber água!

O cansaço só será a sua muleta se você permitir que assim seja. Esteja em movimento, permita sentir esse instalar de novos hábitos, pois eles te farão pensar.

Modo *sentir para pensar* ativado.

Explodir em emoção ou fluir em emoção?

*Eu queria que os outros participassem
daquilo que eu sinto e vejo.*

Mas o que é que eu sinto e vejo? "O Amor."

*Vejo que podemos Amar uns aos outros,
que podemos compartilhar esse Amor
e, quando houver uma competição,
ela se torne compartilhamento de
aprendizados em prol da minha evolução
e da evolução do outro e de todos.*

*Que os sistemas se transformem em
sistemas que permitam o "Ser" ser humano
no Amor, florescendo em suas habilidades,
em seu crescimento, em sua evolução,
em uma jornada contínua no presente,
aquecendo o peito, abraçando, colaborando,
crescendo, florescendo e mostrando sua
beleza para quem quiser vê-la e, claro,
"Amar, Amar e amar" sem parar, dando
coerência à nossa eterna existência.*

*O que vejo, o que faço, sou eu, é
minha responsabilidade. "Minha"
responsabilidade. E só "MINHA".*

Peço "Perdão" por Querer que todos vejam isso e que participem e se transformem. "Agradeço" a todos os que estão comigo nesta jornada, que querem estar e os que ainda irão chegar, pois ainda é hora de outros aprendizados.

Quem quiser participar é bem-vindo a acompanhar, participar, e, caso contrário, também é bem-vindo. As portas estarão sempre abertas para o aprendizado, para o compartilhamento, para a construção conjunta de novas ideias no "Amor". No Amor?

Sim, no Amor. Ele já está aí, dentro do seu peito, esperando por você para acordá-lo de "vez" de maneira plena e integral.

Como antes, por tudo aquilo que eu fazia de errado (aprendizado), afetando as pessoas, eu peço perdão. Digo que aprendi e logo agradeço a lição aprendida, liberando o aprendizado do ciclo para que até ele possa Evoluir.

Estou florescendo em Luz, na Luz do Amor.

FLORESCENDO
NO AMOR

III

*"Você não é uma gota de água no oceano,
você é todo o oceano em uma única gota."*

O dia em que você se permitir experimentar viver novos ciclos na sua vida com o entusiasmo do amor à primeira vista, você finalmente estará florescendo, e não apenas no sentido de desenvolvimento mais genérico, mas florescendo essencialmente no amor, a maior força do Universo.

Quando me mudei no início dos anos 1990 de São Paulo para o Rio de Janeiro para trabalhar inicialmente em produções da TV Manchete e, em seguida, da TV Globo, todo um novo ciclo se iniciou na minha vida, trazendo florescimento não apenas na minha carreira, mas principalmente como ser humano. Era como se antes mesmo de tudo se concretizar, eu já soubesse que tinha que estar naquele lugar... Eu sabia o que eu queria e já gostava do calor no peito que eu sentia.

Antes dessa mudança, que não foi apenas geográfica mas também de vida, meu relacionamento com a mãe da minha filha havia chegado ao fim, e apesar de entender que naquele momento eu ficaria longe da Rúbia, segui com o coração menos aflito por saber que ela estaria sob os cuidados dos meus próprios pais.

Cheguei ao Rio com a cara e a coragem que eu insistia em arrancar sabe-se lá de onde com toda aquela timidez que eu tinha e aterrissei direto nos estúdios da TV Manchete. E foi lá que, durante as gravações da minissérie *O Guarani*, em 1990, iniciei um novo relacionamento.

Acompanhando essa nova fase, um novo ciclo chamado TV Globo se inicia na minha vida, pois os ciclos são assim, seguem acontecendo paralelamente uns aos outros para que cumpramos nosso processo de florescimento. Começo a estar cada vez mais próximo da sede do Jardim Botânico e, como minha afeição às pessoas nunca saiu de mim, logo estou eu falando com cada um dos funcionários; ora o porteiro, ora a copeira, ora a secretária, afinal sou um apaixonado convicto pela essência humana e suas histórias.

Não demora muito até que eu comece a fazer testes para os primeiros papéis nas telenovelas da Globo, e mais uma vez me coloco no processo de vencer a mim mesmo para superar as barreiras do medo da rejeição, da incapacidade e de todas as travas que nunca deixaram de aparecer em meu caminho. Era literalmente um Deus nos acuda! E da vida real passei para *Deus nos acuda* das telas, a primeira telenovela que marcou meu ingresso na emissora na qual eu viria a trabalhar por mais de 25 anos.

Novos ciclos, novas descobertas, e uma explosão de amor quando me dou conta de que o meu verdadeiro amor estava, na realidade, além dos palcos. Conheci a Andreia ainda em São Paulo, em 1991, por meio de um casal de amigos em comum, Míriam e Alberto, que se tornariam nossos padrinhos de casamento. Fomos a uma pizzaria, e sua presença não passou despercebida. Senti uma conexão ali mesmo. Ela praticamente me deu zero bola naquele primeiro momento, afinal eu estava acompanhado.

Contudo, meses depois o Universo volta a colocar a minha futura esposa no meu caminho. Aquela garota reservada, que tinha as suas responsabilidades e já pagava suas contas, pediu permissão para sua mãe, a dona Irma – sim, com 20 anos de idade ela só viajaria se sua mãe permitisse, e ela, pela primeira vez, permitiu! Acontece que a primeira viagem, com destino a Porto Seguro, teve antes uma parada no Rio de Janeiro, onde eu estava morando.

> Quando entramos na frequência e na vibração do amor, não há como não viver o sublime em nossas vidas, pois tudo passa a convergir para o que realmente pulsa em nosso interior.

Quando entramos na frequência e na vibração do amor, não há como não viver o sublime em nossas vidas, pois tudo passa a convergir para o que realmente pulsa em nosso interior.

Apesar de, naquela época, eu estar em outro relacionamento que também fez parte da minha vida e marcou uma fase importante, eu já sabia que uma incompatibilidade nos distanciava e, intuitivamente, sabia que precisava vibrar no amor para me reconectar comigo mesmo. Na primeira noite que a Andreia passou no Rio, na casa de uma amiga, nosso amigo Alberto ligou para sua esposa e disse: "Míriam, tem uma festa hoje aí, no Rio. Por que vocês não vão? Fomos convidados e, já que estão aí, poderiam nos representar". Ainda hoje a Andreia relembra que recusou num primeiro momento, pois não conhecia ninguém e achava que não tinha nada a ver, sem falar na velha desculpa de que "não tinha roupa para isso". Mas a Andreia foi acompanhar sua amiga e claro que não foi por acaso. A Míriam acabou contando que eu já havia perguntado sobre ela, e isso despertou seu interesse por mim também.

Não tinha jeito, meu coração já esquentava tanto dentro do peito só de pensar no encontro com ela. Aquele sentimento precisava florescer, e olha que não foi fácil convencê-la de que nossa história era para ser, em grande parte pela situação em que nos reencontramos. Quando a Andreia chegou, me lembro exatamente de como ela estava, me lembro que usava um colar de algeminhas e já fui dando o meu "Oi" e abrindo a minha alma através do meu olhar, para que ela pudesse me enxergar além do Luigi ator. Falante que só eu, não resisti e passei a festa inteira fazendo de tudo para me tornar o seu guia turístico no Rio: "Ah, você nunca veio pro Rio de Janeiro? Vou te levar para conhecer o Pão de Açúcar... o Corcovado... Barra...". Acho que ela conheceu praticamente o Rio de Janeiro inteiro naquela mesma noite, de tanto que falei em seus ouvidos, e, sem vermos o tempo passar, fomos ficando juntos quase a festa inteira. Sem nos darmos conta.

> Não existe resistência quando a conexão é espiritual.

Era para acontecer. Quando ela passou por aquela porta e olhou para mim, senti como se pela primeira vez eu tivesse sido enxergado. Não eram olhos de cobiça ou desejo, que muitos modelos costumam levar. Era diferente. E como era gostoso estarmos ali, no respeito, nos descobrindo!

Em determinado momento fomos dançar, e é curioso esse momento, porque podemos dizer que dali ocorre uma entrega. E sabe por quê? Porque não existe resistência quando a conexão é espiritual. De modo geral, o primeiro contato do homem sempre é o processo do corpo, uma coisa mais carnal. Mas a minha relação com a Andreia, que começava ali, era um processo de reconhecimento de almas, ambas na energia do amor.

Um dos princípios do relacionamento é ser nossa base, nosso esteio, uma força da natureza que nos mantenha sempre no caminho do amor. Pare agora por um instante e imagine o que seria de você sem o seu companheiro do lado, sem sua esposa, sem sua família. Sem eles, como estaria a sua vontade de vencer todos os dias?

Claro que, quando pensamos em relacionamentos, no começo tudo é maravilhoso, tudo brilha, tudo é sensacional. Mas depois, com o passar do tempo, surge certa normalidade, as individualidades começam a aparecer, um vai trabalhar, outro vai trabalhar, traz problema daqui, dali, e então ficam juntos, fazem as mesmas coisas, mas ainda assim vão ficando diferentes. Até o momento que o relacionamento deixa de ser aquela novidade. Então o que fazer?

É preciso resgatar aquele olhar do amor à primeira vista! Você precisa tentar enxergar cada oportunidade de conquista com o olhar de uma primeira vez. Esse é o segredo-chave para quebrar todos os processos nocivos que você teve no passado e que venham a atrapalhar a harmonia do seu relacionamento.

Então, aquele olhar de primeira vez, daquele amor à primeira vista, por que a gente não pode trazer essa energia desse momento para o agora? Escrever isso neste instante me fez lembrar dos olhos grandes e hipnotizadores da Andreia, e de como eu ficava e fico até hoje grudado neles. Só de pensar nisso meu peito se aquece e sinto arrepios nas costas, nos ombros e na cabeça. Eu tenho uma intensa percepção de mim mesmo agora, e é gostoso fazer meu coração aquecer novamente e voltar para aquela paixão, para aquele amor que é muito bom. Então eu trago para o momento presente a sensação do amor à primeira vista, como foi há trinta anos.

É assim que devemos usar nossa memória do passado, que funciona como a nossa caixa de primeiros socorros, acessando as memórias dos melhores momentos, e não recordando apenas os processos que foram ruins, que é o que geralmente fazemos quando estamos na pior. Ao ficar reforçando eventos traumáticos, memórias dolorosas, além de você dar muita energia a elas, voltando a dar vida a esses acontecimentos, tudo isso passa a orbitar novamente ao seu redor, e consequentemente você entrará naquele ciclo do cachorro que fica correndo atrás do rabo, ou do hamster disparando alucinado na rodinha dele.

Você quer romper com esse ciclo, não quer? Então use as suas memórias boas como a caixinha de primeiros socorros! Isso é um exemplo clássico de ressignificação de toda sua vida. Não é reforçar o que é ruim, mas reforçar todas as coisas boas. E todas as coisas boas que estão lhe acontecendo agora, você deve

SENTIR PARA PENSAR **91**

enxergar sempre com o entusiasmo da primeira vez, como algo extraordinário, não como algo corriqueiro. Todos os dias são uma novidade. Cara, o que vai acontecer hoje? Opa! Isso aqui não foi legal? Tem coisas legais que acontecem na vida.

No começo do relacionamento, Andreia e eu ainda vivíamos separados pela distância, o que, aliado ao fato de nossos mundos serem completamente diferentes, honestamente, chegou a ameaçar a concretização do nosso casamento. Tínhamos apenas 20 anos. Ela, naquela época estudante de Psicologia e administrando uma clínica de estética da família, ainda me via como o ator que, na teoria, poderia ter quem quisesse ao lado. O que eu faço? Impulsionado pela energia do amor, começo todo o meu processo de conquista! Não faltavam flores, ligações, declarações. E olha só, a retribuição vinha! Eu sentia que a Deia sempre queria me ver bem, prosperando, e olhava para mim incondicionalmente. Ela já me conheceu querendo cuidar de mim e me ajudar a crescer. Era impossível ficarmos afastados apesar da resistência inicial que ela teve, e eu segui minha intuição de que era para ser. Era ela! Andreia era a mulher da minha vida. O processo da conquista foi uma das realizações mais bonitas e prazerosas que me aconteceram, porque não foi assim rápido, num passe de mágica, mas quando aconteceu foi de verdade e para sempre. No ano seguinte, fui para o Rio de Janeiro e, resumindo, fomos morar juntos, na casa da tia Iracema, onde alugávamos um quarto. Em seguida, eu dei entrada no apartamento onde iríamos morar e faltava pouco para quitar. A Andreia vendeu o instituto de estética para a ex-sócia da minha sogra e o carro que tinha. Sabe aquele momento em que você junta esforços com aquela pessoa com quem você quer dividir a sua vida, e ambos passam a vencer juntos? Era isso. Nem éramos casados no papel ainda e, ao mesmo empo, era tanta confiança um no outro que não havia espaço para dúvidas. Naturalmente, a Andreia passou a administrar minha carreira, me acompanhando em cada trabalho, desde sessão de fotos, comerciais, até baile de debutantes. Foi uma entrega como só mesmo o processo de um amor de verdade é capaz de proporcionar porque foi tanta história juntos, tanta coisa que vivemos… Juntos vencemos inclusive temores e dores também, inimagináveis para quem era visto como o galã de novela.

Naquele sistema de coisas, que era o Universo televisivo brasileiro dos anos 1990, não era dado aos príncipes o direito ao sofrimento e à face mais obscura da vida. Por quê? Porque a dor era a face feia do ser humano, a qual ninguém quer encarar ou mesmo chegar perto. Essa face só poderia mesmo ser encarada com amor.

AMOR QUE CURA

Os anos foram passando mas o embate, a luta no meu interior, para que eu me mantivesse bem e de pé era brutal. Mesmo com toda aquela vontade de me vencer que seguia viva em mim – como é até hoje –, também carregava o peso dos medos com relação a praticamente tudo; eles eram tão recorrentes e absurdamente grandes que por vezes me prendiam à cama, me fazendo acordar ensopado de suor depois de noites perturbadoras de sofrimento. O medo fazia questão de me embalar naquele ritmo hipnótico de que eu não era bom o suficiente, de que eu era um desastre para memorizar os textos, de que eu não havia nascido para fazer nada daquilo, e de que eu era uma grande farsa.

Era uma baita tortura sair de casa aterrorizado por todas aquelas mentiras que meu ego me contava e, até os últimos minutos antes de rodar a cena, ter que segurar o choro e o grito; mas, ao escutar "Gravando!", eu simplesmente ia, porque tinha que ir.

Às vezes a gente nem percebe que tem depressão, mas tem. Eu tive alguns momentos de depressão já ainda pequeno, e depois na adolescência, então eu tinha momentos que ficava ora com as emoções lá em cima, ora no fundo do poço.

Podemos entender também a depressão como um extravasamento. Temos aquele recipiente que, depois de um transbordamento resultante do não saber lidar com as emoções, ou seja, a falta de manutenção do seu recipiente, extravasa. Pense agora, por exemplo, em qual foi o último evento na sua vida em que houve um extravasamento do seu recipiente. Quando aconteceu, você procurou compreender o que estava havendo?

No meu caso, eu sempre fiz essa busca a partir dos meus extravasamentos. Procurava entender esses processos. E como eu não me delimitava quanto a sentir tudo o que vinha de sensações, quando havia fracassos, eu parava, eu não conseguia chegar aonde queria naquele momento. Já tive medo de sair, medo de encontrar as pessoas e de não saber o que dizer. Contudo, também tinha momentos em que eu era genial, então saía da minha caverna interior e conseguia até mesmo receber a admiração das pessoas… Mas outra vez aquilo sumia, desaparecia, fazendo com que eu vivesse numa euforia e disforia seguidamente.

Apesar de aflitivo, esse processo de conviver com as dores da alma me fez hoje entender os dois extremos em que o ser humano pode chegar, extremos que eu vivi na pele. Para exemplificar, imagine duas espirais: uma dividida em graus que levam você da tristeza até a apatia – morte –, e a outra que o leva da alegria até a serenidade – vida. A espiral que vai até a serenidade está ligada à transcendência. Já a outra se associa à aniquilação do indivíduo. E, durante meus processos de cura e libertação, tentei fundir as duas numa só, pois, já não queria mais ser nem feliz, nem triste. O que eu queria era amar, pois, apesar de muita gente dizer que não, amar é sempre mais fácil. Se eu amar, aquele aquecimento no peito vai chegar, e as correntes que estiverem me aprisionando vão cair.

Um dos piores momentos que experienciei antes de compreender que apenas o amor curaria foi na época em que vivi o personagem Alexandre Paixão, na novela *Sabor da paixão*, em 2002. Chegou um momento em que eu me sentia questionado em relação a minha atuação, porque ele era um galã. E, para viver esse cara, eu fui o último a fazer teste e fiquei com o papel. Foi engraçado, porque tive pela primeira vez a coragem de ligar para a diretora da novela, a Denise Saraceni, depois que uma colega da CGCom (Central Globo de Comunicação) me falou assim: "Luigi, tem um personagem que é a sua cara, fala com a Denise". Lembro que na hora respondi "mas eu nunca falei com ela, ela não me chamou, não estou sabendo". Mas sabe que em seguida pensei comigo mesmo: *Quer saber, vou falar com ela!* Na realidade, sempre fui assim, eu ligo na hora, não penso muito, apenas vou e faço. Ah, mas e se incomodar a pessoa? Não importa! Eu vou fazer! Se eu estou sendo chamado, eu vou fazer, porque se eu deixar para depois eu perco a energia. E agora eu entendo o porquê.

Então consegui o telefone da Denise e liguei, com aquele frio na espinha, enquanto atravessava a Ayrton Senna, no Rio:

— Denise Saraceni! — aí nesse momento sinto que tenho que fazer um personagem — Tudo bem? Luigi Baricelli!

— Ô Luigi, querido, tudo bem?

— Olha, eu vou ser curto e objetivo. Eu estou fazendo minha parte em relação ao Universo e ligando para falar uma coisa: Alexandre Paixão é um personagem que sou eu. Não tem mais o que falar. — continuei depressa.

— Luigi, não é você. É o Marcos Palmeira.

— Poxa… que bom, Denise, porque o Marcos é um cara excelente. Mas é o seguinte, eu queria te agradecer e queria fazer a minha parte em relação ao Universo, porque se eu não vou atrás eu acabo não recebendo. Eu vi, vi que não sou eu, então eu te agradeço, e boa sorte pra vocês.

— Mas quem te deu essa informação?

— Ah essas coisas eu sei de tudo, você sabe, Denise — e aqui criei um suspense. — Um cara que é muito querido, sempre todo mundo quer o bem dele. Então não vou poder te falar quem foi, porque eu sempre estou sabendo de coisas. E, por essa confiança que as pessoas têm em mim, eu nunca digo fonte. Eu queria te agradecer e boa sorte.

Pum! Desliguei.

Não demorou para me chamarem para fazer o teste, mas num primeiro momento recusei. "Mas como que você não vai?", a Andreia na época me questionou. Continuei insistindo que não iria, pois a própria diretora da novela havia dito que já tinha o ator para o personagem. Por fim, a Andreia conseguiu contornar toda a situação, confirmando com a equipe da novela que eu iria para fazer o teste, no último horário disponível. Ela me acalmou e conseguiu me mostrar que seria importante, e assim fui o último ator a fazer o teste, seguindo a minha intuição de que tinha que ser assim. E quem foi o ator escolhido para o personagem? Luigi Baricelli! Agora, se você está se perguntando como é que essa conquista tem a ver com um dos momentos mais aflitivos que já vivi, explico. Antes de garantir aquele papel, o que precedeu foi um "Não" dos mais dolorosos que até então havia enfrentado. Eu havia reunido toda minha coragem, fui atrás e liguei, mas não esperava receber aquele não como resposta. E o pior é que eu fiquei com ele guardado por muito tempo. Eu já havia recebido inúmeras outras recusas, desde a época de modelo, mas dessa vez foi diferente, porque ali eu NÃO acreditei de verdade que eu não servia para aquele personagem. Aquele personagem estava dentro de mim. Havia um conflito, se ele era de outro eu tinha que me esquecer dele.

Fiquei vivendo aquele passado do não, mesmo enquanto já estava vivendo o personagem! Era como se eu estivesse sob aquela pele do Alexandre Paixão, mas de forma ilegítima, porque no meu autojulgamento eu estava lá, mas não estava fazendo a atuação à altura do que deveria ser. Olha que coisa louca! Mesmo tendo feito o teste e sendo aprovado para o papel, eu acabei dando ouvidos a pessoas que questionavam se o Luigi Baricelli daria conta mesmo de viver aquele protagonista. Eu sempre tive uma sensibilidade muito grande, e pegaram justo nesse ponto para me plantarem dúvidas na cabeça. Em vez de pensar que o que pensavam de mim não era eu, eu vivia aquelas críticas. Além de insegurança, vivi um verdadeiro inferno naquele momento, preocupado com as opiniões dos outros e vivendo pelos julgamentos dos outros, e não a minha própria vida. Esse processo foi denso.

Você é um ser de luz.

É.

Ficou surpreso?

Não fique.

É o seguinte, sempre vou falar por essa porta aqui, a do coração.

Você é um ser de luz.

E tudo que falarem por fora, fora de você, ao seu redor, que você não é, não acredite, porque é mentira.

E se o seu Eu falar que você não é, também é mentira.

Pode falar para todo mundo, "vocês mentem, eu entendo, mas eu não vou ficar com raiva, eu só vou dizer a vocês que eu aprendi a lição, então vocês não têm mais função na minha vida. Eu estou em liberdade a partir de agora, porque eu sou um ser de luz, e na luz estarei, e no reino do Criador estou".

O QUANTO DE VOCÊ É VOCÊ?

Se você ainda não tinha se dado conta, fique sabendo que sim, a gente se simula, e fazemos isso o tempo todo. O ser humano se simula simplesmente porque não sente. Mas como assim? Continua aqui comigo, que você vai entender.

A essa altura da vida, você provavelmente já deve ter ouvido falar de simulação de programação. O que acontece nesse campo da ciência? Basicamente, quando se fala em programação, significa que um sistema de coisas é criado para funcionar de determinada maneira, e isso acontece hoje em dia com absolutamente tudo, até mesmo com a nossa vida, quando falamos em metaverso ou multiverso.

Quando paramos para analisar de maneira mais atenta, somos sempre condicionados a viver dentro de padrões, ou seja, é esperado que nos comportemos e até pensemos dentro de determinado padrão. Por isso, te faço agora algumas perguntas:

Quem é você?

O quanto de você é você?

O quanto de você é a sociedade, sua mãe, seu pai?

O quanto sobra de você?

A partir do momento que você começa a existir, começa a simular você mesmo, como se fosse aquela simulação retratada em *Matrix*, pois até então a ideia que se tinha era a de que a vida é apenas o que vemos todos os dias ordinariamente, trabalhando, pagando contas, cumprindo inúmeras tarefas em que muitas vezes não vemos sentido, e aceitando aquilo que não deveríamos aceitar. Por isso começamos a simular, porque até então não enxergamos, não sentimos para pensar. E chega um momento em que começamos a simular um programa cada vez mais enferruja-do, mais problemático, mais bugado, pois ficamos exaustos com o confinamento dentro desse sistema de coisas.

No meu caso, eu estava rodando um programa de simulação exatamente assim. Comecei a entender que, para viver dentro da TV, você tem que estar superbem, sempre aparecer da melhor maneira possível, fazer de conta que você não tem problemas. E, ao mesmo tempo, eu tinha que ser o cara macho, não podia ser o sensível. Eu tinha que engrossar a voz para simular o Luigi, mas pensava comigo: *Caraca, eu tenho que ser o galã, usar essa roupa... O que eu tenho que fazer para ser aceito nesse lugar?*

Eu vivia em função de ser aceito. Porém, sabe qual é o momento em que surge uma quebra fantástica de alívio? Quando eu me torno apresentador em quadros e programas como da Ana Maria Braga, *Vídeo Show* e *Caminhão do Faustão*. Ali eu começava a sentir que finalmente eu estava onde deveria estar, fui me encontrando dentro de mim mesmo, sentindo novamente o calor irradiar do peito ao estar no meio do povo. Eu estava em Recife, depois em Manaus, depois em Santa Catarina, sempre recebendo carinho de verdade. Ali não tinha história, e as pessoas me chamavam de Luigi, me enxergando como pessoa, não como um personagem. Então, o meu público em geral me deu a oportunidade de ser quem eu sou.

Se você estiver pensando que não é possível sair de um estado crítico, corte agora esse pensamento. A gente não precisa paralisar nem se matar diante das dificuldades. Olha o meu exemplo: mesmo eu estando com dúvidas, eu consegui executar. Eu executava. Às vezes com excelência, e às vezes só fazia, às vezes errava, mas eu não parava. Porque quando você para, é onde você morre na praia. Eu nunca parei de nadar, mas, quando eu estava muito ofegante, segurava um pouquinho, boiava, tomava água e ia mais um pouquinho, dando um passo de cada vez em cada projeto em que me envolvia.

A tartaruga não é o coelho. Eu queria ser o coelho, mas eu só podia ser a tartaruga. Mesmo assim, eu fui até o final. Então quando eu estava em depressão e ganhava, por exemplo, uma partida de tênis – um esporte que eu gosto muito de praticar até hoje –, eu pensava, *mas como é possível? Eu estou quase no estágio pré-morte!* Como era possível eu ganhar se eu não tinha resistência, estava tudo uma porcaria, se as coisas que eu via ao meu redor não faziam sentido? Eu ganhava porque eu entendia que a vida por si só não tem sentido, então eu tinha que dar sentido a ela.

Mas qual o sentido que eu dou? Comecei a me perguntar. Porque, se eu vou aqui, é porque eu estava num processo materialista. Eu assumi isso para mim, só que queria esconder que era isso, porque a minha essência não era aquela realidade. Comecei a simular realidades porque eu queria sobreviver. Então eu tinha que ter o melhor carro, a melhor casa. Já tinha o melhor carro, a melhor casa. Morava no melhor condomínio do Rio de Janeiro, tinha vizinhos ilustres como Renato Aragão e Xuxa – aliás, pessoas maravilhosas que são parte da minha história. O Luizinho tinha chegado lá!

Eu precisava sustentar uma realidade, uma imagem, para poder continuar sustentando essa simulação, afinal eu não conhecia outra forma. Eu simplesmente estava jogando o jogo que nem sabia qual era. Então, olha que loucura, eu tinha coisas para os olhos dos outros, sim. Para poder superar meu complexo de inferioridade. E sabendo que eu sempre gostei dos melhores lugares, tudo o que eu botava na cabeça, eu conseguia. Tudo. Tive todos os carros que quis. Eu consegui tudo, e no meu passado, mesmo quando não tinha dinheiro suficiente, eu ia atrás e fazia. E conseguia sustentar, conseguia executar, porque o processo era louco.

Eu também achava que aquela máxima "é preciso ser visto para ser lembrado" era incontestável. Mas como? Pelos olhos do outros? Ou para você fazer sua própria essência? Com toda a dificuldade que eu sentia para estudar, muitas vezes julguei que eu não conseguia ser o melhor profissional que eu poderia ser. Então me virava do jeito que eu podia; simulava um personagem incrível para poder superar aquele meu problema e superar a minha depressão. E assim eu criava recursos dentro de mim mesmo para superar a minha dificuldade de compreensão. Era curioso que, ao mesmo tempo que eu não entendia como destravar aquilo que eu vivia, eu superava todos os meus processos depressivos para poder sobreviver enquanto eu estava no jogo.

Agora você me pergunta, "mas você queria trabalhar enfrentando uma depressão?". Claro que não! Mas acontece que, quando apertava, eu falava para mim mesmo, *eu tenho que me virar*.

Minha cura da síndrome do pânico veio por ter atuado em outras áreas dentro da TV. Eu busquei essas situações e criei o meu futuro. Eu não fiquei sem atuar em novelas porque eu queria, mas eu fiquei disponível para todo o trabalho que aparecesse para mim. Eu fui movido por uma força maior, que era criar algo novo. Hoje eu tenho uma percepção melhor sobre isso: a minha cura viria por meio da criação, da imaginação, de algo novo para mim.

Eu não recebi nenhum convite para isso, eu fui atrás. E tudo aconteceu através da Vivi[*]; eu propus para ela fazer um quadro sobre a vida real. Ela me deu liberdade de criação, me deu liberdade para fazer algo novo. Aquela possibilidade de criar e de ser a pessoa que eu sou me libertou da síndrome do pânico, mais do que qualquer remédio que eu tomava, até porque os remédios me faziam mal. A Vivi foi de suma importância para mim. Outra coisa que acho interessante é que eu fiz vasectomia naquela época. E quando o meu quadro foi ao ar, algumas semanas depois, foi anunciado que a vasectomia faria parte dos atendimentos do SUS, o que representou uma conquista importante, afinal, é muito mais fácil a vasectomia do que uma mulher

---

[*] Viviane de Marco, diretora-geral do *Mais você*.

fazer a operação. Podemos dizer que foi coincidência, só que não existem coincidências! Imagine o Luigi Baricelli, que fez novela das oito, fazer um quadro no programa da Ana Maria Braga? Muito louco, né? Para mim também era, porque ali eu me expunha novamente, tinha medo, mas ainda assim enfrentei. Dane-se! Eu tinha que fazer. Porque não tinha outra opção, eu tinha que fazer, então eu fazia.

Coloquei toda minha carreira em jogo naquele momento para poder assumir o papel de apresentador. Depois que fiz um protagonista e ganhei uma grana, fui ser apresentador de um quadro dentro do *Mais você?* Sim, eu fui e fiz. E aí deu supercerto. Isso estando com depressão e síndrome do pânico. Mesmo assim eu não deixava de criar e me permitia viver cada experiência naquele programa. Comecei a gostar, e só de estar trabalhando ali já estava tão feliz, trabalhando com a Vivi, que era uma pessoa excelente.

Eu finalmente estava virando a chave para a fase mais evolutiva da minha vida.

A DINÂMICA DO AMOR III

Esse é o programa 369 Hertz, a rádio que conecta você com seu eu interior! Fique ligado na frequência, na sintonia, transforme energia e emane para a matéria!

A libertação começa a partir do conhecimento. Às vezes, as pessoas passam uma vida inteira sem saber quem são elas mesmas porque simplesmente desistem de sair de suas cavernas interiores, por isso não se sentem livres. Por muito tempo, eu também vivi aprisionado em minha própria caverna, por anos na realidade. No entanto, mesmo estando lá dentro eu estava andando, não estava sentado olhando a minha sombra. O problema era a limitação de espaço naquela caverna. Vislumbrava que existia alguma coisa, mesmo não sabendo o que era. E até então só conhecia aquilo lá, que não me deixava enxergar a luz.

Agora deixa eu te falar uma coisa: sempre é possível sair da caverna quando há coragem de vencer a si mesmo, pois, ainda que você se veja com todos os defeitos, essa coragem faz com que você vá lá e faça o que tem que fazer. O milagre que você espera acontecerá assim, a partir da junção de sua ação com a sua intenção. Quer ver um exemplo simples? Quando você sai de casa, você se veste de uma forma que você quer realmente estar ou para a sociedade te ver? Se respondeu a segunda opção, eu te digo agora, "Pare de atuar e viva a sua vida!". Se não é você, pare de atuar. Você até pode atuar na hora de brincar com uma criança, você se transforma em um personagem, mas se aquilo não é você, pare. O ator que atua deixa uma marca no chão, poucas pessoas veem. O ator que vive o personagem deixa uma marca no céu, todas as pessoas que olharem para cima irão enxergar.

Muitas vezes as pessoas se escondem em determinadas situações, mas, quando há o encontro verdadeiro com a sua missão, tudo fica mais fácil. Um dos exemplos que vejo muito forte hoje no mundo todo, especialmente no Brasil, são os *coaches*. As pessoas de sucesso muitas vezes falam, "esteja com os tubarões se você quiser ser um tubarão". Mas que saber? Eu discordo! Porque nem todo mundo é um tubarão ou quer ser um tubarão. Nem todo mundo quer ser esse personagem. E não adianta querer mudar de personagem durante uma peça, pois isso é uma loucura. Por que a gente escolhe um personagem que não é nosso?

Agora me responda: qual é o seu personagem, a sua missão neste lugar? A gente está vivendo um processo teatral, mas estamos fazendo simulações em cima de simulações em vez de viver. E assim é com o ator, que sempre simula uma cena. Agora, quando você fala com o coração, causando aquele arrepio no corpo inteiro, trazendo o sentido daquilo que te faz acordar de manhã, não há como viver uma simulação, apenas a extraordinária realidade. Atingir todo esse entendimento é um verdadeiro processo de cura da alma.

> Sabe aquele casulo em que você estava aprisionado até agora há pouco, todo quebrado? Depois de romper com essa casca, você será quem verdadeiramente é.

Nesta terceira dinâmica do amor, você verá que o nosso processo de romper o casulo e finalmente sair da caverna vem do acreditar na vida, na evolução e principalmente no amor mais do que acreditar na doença, na falência e na destruição. As pessoas querem acreditar em coisas que são maiores que o amor, mas o amor está acima de tudo, acima de todas as leis universais.

Com essa afirmação em mente, chegou o momento de você colocar em prática duas habilidades essenciais que deverão fazer parte da sua vida daqui para a frente sempre: *perdão* e *gratidão*.

1. Aprendendo a perdoar para libertar

O processo de perdoar é um exercício diário e deve começar com você para consigo mesmo e então ser estendido a todas as pessoas. Não adianta reclamar, pois não há outra rota alternativa uma vez que o amor está acima de tudo. Então preste atenção: aquela irritação que você sentiu durante uma discussão em casa, ou de um estresse no trabalho, ou aquela sensação de sapo entalado na garganta com tudo aquilo que te deixa com raiva, você precisa liberar agora.

Lembre-se da prática descrita na Dinâmica I deste livro e comece a partir desse mecanismo a liberar o perdão mesmo que o sangue esteja quente. Você pode até achar que não, mas a libertação por meio do perdão começará a ganhar espaço em sua consciência, e você começará seu processo de purificação. Com essa expansão de consciência, ela por sua vez se tornará maior que o seu corpo, maior que os seus pensamentos que antes estavam presos na raiva e em sua baixa vibração, e daí bingo! O primeiro acesso rumo à saída da caverna se revelará bem diante de seus olhos!

2. Aprendendo a agradecer para evoluir

Grave isto: não há caminho evolutivo se não houver o hábito diário da gratidão. Você quer romper com o casulo que está prendendo as suas asas e consequentemente te impedindo de voar? Então comece agradecendo por todas as coisas em sua vida! Para quantas pessoas você já disse "obrigado", "sou grato", ou "te agradeço" pelo que você viveu, está vivendo ou ainda viverá hoje mesmo? Qual foi a última vez que você pegou o telefone para ligar ou gravar aquela mensagem agradecendo àquelas pessoas que fizeram ou fazem parte da sua história e que contribuíram, de forma direta ou indireta, para a sua evolução? E mais! Sabe aquelas pessoas que você considera que foram um osso duro de roer? Quem disse que a elas também não é devida a sua gratidão? Mas é óbvio que sim! Afinal, não fossem elas, muito provavelmente você não teria se esforçado tanto para enfrentar o que teve que enfrentar para evoluir. Então vá lá e agradeça! Pare de marra e coloque um sorriso nesse rosto na hora de agradecer!

A gratidão está para o amor assim como a sua respiração está para a sua vida. Não pode faltar jamais, senão o destino é o fim da sua existência!

Comece a adotar essa prática a todo instante, não importa se no começo não soar natural, mas siga fazendo essa prática até ela fazer parte de quem você é e, no final das contas, você verá que essa é a sua verdadeira versão, o seu personagem real.

Por fim, ao concluir a leitura dessa dinâmica, liste cinco pessoas para quem você precisa dirigir um perdão e outras cinco a que você precisa agradecer. Faça isso imediatamente depois de finalizar a leitura aqui e depois registre como se sentiu. Não tenho dúvidas de que a sua vibração começará a se elevar tanto que a sua caverna ficará pequena demais para segurar você. Finalmente, será o momento de voar!

*Um grito, um berro de socorro, e
ninguém aparece. Você está sozinho.*

O que fazer?

Já estive aqui algumas vezes, mas dessa vez é pior.

*Aqui 2+2 são 5, não faz sentido...
O que fazer, Deus?*

*Nada ouço e nada vejo. Tudo fica escuro,
começo a suar, frio e quente.*

*A visão já não é mais um sentido, e
a ouço me dando um adeus.*

aDeus? Deus? Deus? Deeeeeeuuuuuuusss?

*Uma pausa... meus sentidos se vão em
uma luz, uma vibração, um túnel.*

*Meus sentidos se foram, mas eu ainda
tenho consciência; como isso é possível?*

*Estou sentindo, mas não mais com os
sentidos, não consigo explicar.*

*Só sei que existo e vejo o final do túnel se
aproximar, começo a sentir uma Paz Profunda.*

Eu sou Amor, eu sou, eu sou, eu sou, eu sou quem?

Quem eu sou?

Não sei, não sei mais quem eu sou.

Eu Sou, eu não, eu, eu, eu...
(suspiro) não sou, sou, sou...

Soul Um com tudo.

Perco minha identidade,

não sou mais modelo,

não sou mais sacoleiro,

não sou mais vendedor de ovo de
Páscoa, para as empresas,

já não sou mais o cara que traz
eletrônicos do Paraguai para sustentar
sua filha recém-nascida, a Rúbia.

Não sou mais o ator com dificuldade de memorizar
texto, com um medo terrível de errar a fala na
hora de encenar na gravação as 25 cenas do dia.

*Nem mais o apresentador que gelava e tremia nas
bases na hora que ia falar com o Faustão ao vivo.*

*Nem o cara que por fidelidade ao diretor
Walter Avancini, o mestre da televisão, que se
dedicou às produções de minisséries baseadas
em clássicos da literatura brasileira e que
me convidou pessoalmente para trabalhar
com ele, depois de me flertar nos carrinhos
elétricos no antigo Projac, chegando ao estúdio
de gravação de Laços de família e ele ao de
O Cravo e a Rosa, nivela o que ele dirigia,
sempre por coincidência nos encontrávamos
na entrada dos estúdios, ele me dizia:*

"Olhos, Luigi",

"Olhos, Luigi".

O DESPERTAR

IV

E eu?

Sem entender o que ele queria dizer com "Olhos"?

Eu parecia o Didi Mocó pensando!!!

Aí, ô da poltrona!

Dá para mi dizê o que é esse negócio de Zóios?

Só de te ver, Mestre, fiquei Popotizado e me deu um frio na barriga... vixi...

O terceiro Zóio travou e agora que me deu vontade de ir pro trono...

Trono?

Sim, trono

Do Rei?...

Não, Zé Oreia,

O do banheiro memo, Psit.

Sim, eu vejo com os olhos, não com os ouvidos, caramba.

O que ele queria dizer com "Olhos"?

Fiz uma cara para o Mestre de que tinha entendido tudo.

Mais tarde, revisando uma cena que tinha acabado de gravar da novela Laços de família, meu peito explodiu.

O meu coração em chamas de êxtase (uma sensação quase que parecida com o que senti no nascimento dos meus filhos).

Caramba, caramba, caramba, meu Deus, EnTenDiiiiii Tuuuuuudo!

Comecei a rir sem parar, nem consegui identificar que tipo de riso era aquele, era algo novo para mim.

Uau!!!!! Uau!!!!! Uau!!!!!

Era isso!!!!!!

Fiz uma cena com o Fernando Torres, um senhor na época debilitado por seu estado de saúde, muito frágil. Fernando fazia meu avô na novela Laços de Família, só que eu não o conhecia pessoalmente como Luigi, o ator, nem o meu personagem, o Fred, também.

Aléssio estava para morrer, e eu fui visitá-lo (éramos distantes na história).

A cena era o encontro com o avô materno. Entrando em seu quarto, uma emoção tomou conta do meu ser, eu só queria abraçar, falar, ver, sentir, ouvir, tocá-lo.

Conversávamos sobre tudo, pois não haveria outra oportunidade, somente aquela; e, em uma pausa em nossas palavras, retirei do bolso uma foto da minha filha na novela, a Nina, para que ele pelo menos pudesse ver a neta em seu leito de morte.

Seus olhos revelavam sua alma, e a voz do Mestre Avancini me veio naquele instante ressoando em meus ouvidos.

"Olhos, Luigi", "Olhos, Luigi", "OOOOOLHOOOOOS".

"Sr. Luigi". Era assim, com essa forma de tratamento, que o Mestre Walter Avancini gostava de se comunicar, remetendo ao respeito. Quando finalmente entendi em plena cena aquela relação dos olhos, uma chama explodiu em meu peito, e naquele momento já nem pensava mais. Só havia o calor dos meus olhos com os do Fernando. Já não éramos nós, Fernando e Luigi, mas sim neto e avô, Fred e Aléssio. Ali, entrei em estado de graça. E, a partir daquela cena, minha carreira havia mudado para sempre...

Logo agradeci ao Mestre com o meu coração, e não com as minhas palavras. Mas também me veio um pensamento que não parava de me atormentar. E, conversando com os meus botões, perguntei a mim mesmo como se fosse ele: *Senhor Avancini, "o senhor" não poderia ter explicado um pouco mais o negócio dos "Olhos" para eu ter me preparado melhor?*

Claro que não, pois aquela mágica não teria acontecido, não seria o meu aprendizado, mas um ferro fundido pelo Avancini, um molde feito por ele, e não por mim. Ele permitiu que eu descobrisse por mim mesmo... Meu Deus, que gênio!!! E nem precisei esfregar a lâmpada! Ele iria fazer com que eu chegasse a mais um nível de evolução. Eu já estava preparado para ele destruir minha persona para que o vazio pudesse ser ocupado pela energia dos personagens que estavam por vir.

Ha...ha...ha! Mas não foi bem assim. Mal sabia que minha vida havia se tornado uma história mitológica. Eu estava na minha própria mitologia, vivendo a Jornada do Herói.

Avancini adoece, não vai poder dirigir mais a novela, isso faltando, não sei ao certo, três meses para a estreia da novela *A padroeira*, na qual eu fazia o herói, o protagonista, apesar de acreditar que o protagonista é aquele que está no momento presente na tela. Caramba, que loucura! Contudo, quando ele adoece, também me chama em sua sala, e dali um novo estágio de treinamento para que eu alcance outro nível de maturidade artística começa. O sistema, aquele da simulação que já comentei aqui, no qual a gente acaba encenando sermos uma pessoa que não somos, podia me cuspir para fora daquele momento de construção, e eu já tinha formado uma família com a Andreia. Já tínhamos o Vittorio, na época com quatro anos, e o Vicenzo acabara de nascer. Havíamos formado certo patrimônio, contávamos com cerca de cinco funcionários que dependiam de mim, e eu não podia decepcioná-los, pois eles precisavam sobreviver também.

Era muita coisa em jogo...

O que fazer?

Jogar o jogo... que meleca!

Vamos lá, eu não sei fazer isso, mas tenho que aprender.

Fazia pouco mais de dez anos que eu ingressara no Universo das telenovelas desde minha estreia na TV Globo, como o personagem Zelito, em *Deus nos acuda*, de 1992. Mas você deve se lembrar o que já contei aqui sobre como eu vivia em pé de guerra com meus medos. O que eu carregava era um medo pavoroso de rejeição, de não aprovação dos outros, de ser julgado, e quantas e quantas vezes não me via paralisado diante de cada nova possibilidade que se apresentava para mim? Mas, apesar de tudo, o milagre sempre aconteceu, pois eu sempre ia lá e fazia, fosse o esforço que eu tivesse de enfrentar. Eu tremia nas bases até o último segundo, mas não voltava atrás. Eu atravessava a tortura, o pânico, o inferno todo, mas chegava sempre naquele lugar onde eu sentia que deveria estar.

Assim, durante toda uma década, vivi personagens que marcaram não só a mim, mas gerações inteiras que até hoje me conhecem como Romão, ao qual dei vida em *Malhação* de 1995 a 1997; Fred, de *Laços de família*, em 2002, que representou um divisor de águas na minha vida e um marco nas telenovelas brasileiras; e Valentim, de *A padroeira*, também de 2002, que fez história nas novelas de época e que para mim cravou uma das fases mais brutais de superação.

Para viver o apaixonado Valentim, eu tenho que montar a cavalo. E agora?

Eu não sei montar a cavalo! Já tinha subido em um cavalo, mas daí até estar seguro, ter o domínio e montar como um herói, estava longe, mas não era uma opção perder aquele papel. Então, quando o mestre Avancini me perguntou se eu montava, em fração de segundos senti e pensei: *Tenho algumas semanas para ter aulas e estarei pronto até o início das gravações.* Então respondi sim!!! Cheio de certeza! Da completa insegurança de levar um tombo fatal, passei a treinar a montaria diariamente e por incontáveis horas. Cheguei a um ponto que certa vez me arrastei até o estúdio, literalmente, pois havia ganhado um problema na coluna por conta do excesso de montaria. Chegava a me retorcer com aquela dor lancinante, que trancava os meus pulmões, então precisava de uma mãozinha da equipe de apoio para me ajudar a subir no cavalo parceiro de cena, e quando vinha o "Atenção, gravando!", na mesma hora a transmutação de energia acontecia.

Naquele momento, o Luigi era o galante Valentim, o príncipe viril em seu cavalo, sem sombra alguma de dor ou colapso físico. Eram horas assim até as luzes se apagarem, ouvir o "Corta!", e eu mais uma vez ser ajudado a pousar no chão, absolutamente travado. Apesar daquela situação, o que guardo até hoje não é a baita dor e dificuldade de todo o momento que eu vivia em si, mas a resiliência que criei em mim para passar por tudo aquilo e sair vivo.

Se você ainda não experimentou elevar seu nível de superação para forjar aquela resiliência, não espere, faça! Ela certamente fará com que você não caia do cavalo!

*Podemos estar
livres mesmo dentro
de uma prisão.
Mudar de endereço é
só adiar o problema.
Transformação
interna.
Sempre iremos
voltar a isso.*

A TRANSIÇÃO

Chegou um tempo que os caminhos das televisões começaram a mudar definitivamente. As séries começavam a bombar, e os núcleos das telenovelas iam ganhando contornos de Titanic em direção a um enorme iceberg, ou seja, estavam prontas para naufragar. E eu estava começando a sentir tudo aquilo. Os rumores começavam a chegar, ouvia burburinhos da maquiagem, burburinhos da direção, e, como eu conversava com todo mundo, sempre tive entrada em todos os lugares. Eu gostava de estar em todos os lugares ao mesmo tempo, então eu circulava em todos eles, desde o pátio até a sala do imperador. Não importava quem fosse. Então eu recebia muito estímulo.

Assim, aquele senso de urgência por novos ares começou a vir porque eu via que a geração à qual eu pertencia não ia durar muito mais tempo, por isso precisava achar uma solução, que ainda não existia. Mas sabe o que acontece na sequência? Eu recebo um convite da FOX! *Wow*! Não tinha como ser diferente, afinal a minha energia já estava vibrando em novas direções, rumo ao crescimento, rumo à expansão de mim mesmo. Finalmente eu recebia um *green card* para fora das geladeiras, estava dando adeus aos caminhos quase sempre espinhosos para se conseguir papéis, fossem do mocinho ou do bandido.

Não vou mentir aqui pra você. Ao longo de mais de duas décadas dentro da televisão, tive grandes mestres, inesquecíveis mesmo, que me ajudaram a crescer como ator, como apresentador, como Luigi. No entanto, também tive que encarar o lado escuro da força e me deparei com pessoas supressivas e assediadoras. Tive que escapar bem bravo das garras dessas pessoas, mas

124 Luigi Baricelli

num nível que era uma coisa de louco. Óbvio que eu conversava com todo mundo, e isso era do caramba, bacana, mas já advertia logo que certas coisas, como drogas e outras paradas pesadas, não eram minha praia. Simplesmente não tinha como eu aceitar certas propostas. Nunca. Não adianta. Nunca mesmo.

Perdi papéis por defender minha postura? Perdi! Mas jamais abriria mão da minha dignidade para me submeter ao mau-caratismo de quem quer que fosse. Eu já vi de tudo. E não entrei em nada. Eu não me vendi e ainda consegui preservar a minha mente mesmo quando ela era bombardeada.

Apesar de momentos como esse, oportunidades também apareceram, pois ainda havia um motivo de eu estar onde estava. Nada é dado a você que você não consiga carregar. Não existe isso no mundo. É por isso que a pessoa não pode desistir.

Até mesmo quando achei que era o fim da linha para mim em relação às novelas, pouco antes de sair, surgiu um convite inesperado, olha que louco isso! Depois de muito tempo, lá estou eu na bancada do *Vídeo Show*, indo superbem, e sempre com aquela postura calculada. O fato é que eu queria crescer, então eu ia pra cima. Ainda que o pânico estivesse instalado em mim, eu continuava querendo viver novas experiências. Eu tinha dúvidas de mim, mas eu queria. E, como eu queria, o convite para a nova novela das oito então chega.

Meu sensato coração vai parar direto em *Insensato coração*, de Gilberto Braga, diante de um convite feito diretamente pelo diretor da novela, Denis Carvalho. Saí do *Vídeo Show* e mais uma novela das oito entrava para o meu currículo, trazendo toda uma vida novinha em folha para auxiliar no processo de construção do Luigi de hoje.

Nada se perde quando criamos conexões com aquilo que aprendemos durante a nossa caminhada. No meu processo de transição, pude observar que eu já não era mais o Luigi empresário, nem mais o Luigi ator, ou o Luigi apresentador. O que eu tive foram várias visões no sentido de sentimento mesmo, de percepção, de refletir sobre qual era o caminho das televisões naquele momento. As empresas para as quais eu estava trabalhando eram realmente a minha missão? E será que combinavam com a minha verdade? Dúvidas como essa faziam parte do pacote, pois não tinha jeito, vinham com o processo evolutivo que eu estava prestes a vivenciar.

Mergulhado nessas dúvidas, eu estava sem projeto na TV Globo, recebendo meu salário mensalmente, pois era um contrato de exclusividade. Para muitos um cenário perfeito, mas, para mim, um tormento, pois queria estar trabalhando, e esse era o momento de transição. Eu estava indo morar nos Estados Unidos com a minha família. Mas na minha cabeça não cabia, mesmo com o contrato de exclusividade, eu estar recebendo sem nenhum projeto em vista. E eu havia recebido um convite da FOX para apresentar o *reality show Escola para maridos*.

O que fazer? Resolvi entrar em contato com a direção da Globo e questionar sobre as possibilidades. "Vocês têm algum projeto para mim?" "Não", foi a resposta. Então segui questionando. "Eu fui convidado pela FOX para apresentar um *reality* show, *Escola para maridos*. Eu posso realizar, congelando meu contrato, e depois retornar à emissora?" A resposta foi negativa, novamente. Então, sigo com uma conversa muito amistosa, na qual exponho meu interesse em apresentar aquele programa na FOX, pois é importante para mim, e sugiro à direção a rescisão do meu contrato. Assim se encerra meu ciclo na TV Globo para o início de um novo ciclo.

Durante toda a temporada do *Escola para maridos*, o programa foi um sucesso, a audiência teve um aumento de 1.000%. Sabe o que significa isso? Realização! Tive certeza de que tinha tomado a melhor decisão, eu sentia que estava cumprindo o meu propósito de ajudar todos aqueles casais a salvarem seus relacionamentos. Conduzi o programa alinhado com os meus valores, todos centrados no amor.

Apesar do sucesso, a FOX não seguiu com a segunda temporada, já que estava passando por um processo de transição, decorrente da sua aquisição pela Disney, e com isso encerro meu ciclo na FOX e volto para os Estados Unidos, onde já estávamos morando, para estar com minha família. Meses depois, sou convidado pela Warner/Bandeirantes para comandar um novo *reality show, À primeira vista*, um programa em que as pessoas estavam à procura de um relacionamento. Olha que interessante, em um eu ajudava os casais a manterem o relacionamento e, no outro, as pessoas a encontrarem o par ideal. Com isso, retorno ao Brasil, onde fico até o término do programa.

Naquela época, cheguei a pensar que eu iria me aposentar aos 42 anos de idade. Eu pensei: *Vou parar, vou fazer algumas coisas só e vou ficar mais tranquilo*. Mas essa foi outra intenção que me jogou de cara para a parede, porque isso não fazia parte da minha verdadeira missão. Meu peito não esquentava com essa pausa na minha carreira. Mesmo as pessoas que vão programar a aposentadoria sentem uma grande dificuldade, e há várias pesquisas sobre isso. Eu até podia, por exemplo, jogar tênis, fazer viagens, ter tempo livre, mas uma coisa ainda não estava se encaixando. Não estava dando certo essa configuração, mas eu insistia nela. E aqui é um ponto importante: eu insisti onde não estava inflando o peito, mas estava satisfazendo a mente.

Sabe então o que começa a acontecer? As coisas começam a não andar. Os sinais de trânsito ficam fechados. E aí você fala: *mas por quê?* Aí vai além do querer do coração; é o querer da mente, de descansar, de não fazer mais, não entrar no processo do sistema que nos põe a viver uma simulação novamente, de passar por todos os processos pelos quais você sabe que vai passar para evoluir, mas ao mesmo tempo ali eu não conseguia entender para onde eu iria, porque estava muito fortificada aquela coisa de não fazer mais nada. Contudo, foi a partir daí que comecei a entender e me questionar: *mas e agora?* Como percebi que a minha frequência não estava ajustada no amor e alinhada com a missão que eu sentia que tinha que fazer, o que eu faço?

Mas é engraçado ver como são as coisas, porque esse momento que deveria marcar o novo e a plenitude ao mesmo tempo vem carregado de novo com aquela minha crença de que estou aposentado, o que acaba me jogando em um novo processo de síndrome do pânico. Na realidade, mais uma vez eu estava escapando da minha missão e dando espaço para outras coisas que não me permitiam ter a realização de vida que sinto hoje. Naquele momento de hiato em minha carreira, eu pensava ainda em fazer novas coisas, tinha vontade de me manifestar e pensar em qual processo eu poderia criar, o que eu poderia mostrar para cada ser, para as pessoas que eu encontrava em meu caminho, e desejava escolher fazer algo exponencial para todo mundo.

No entanto, não me vinham projetos, não me vinham ideias à mente, e eu até buscava ir em certa direção, mas nada acontecia. Eu ia, mas não acontecia coisa alguma! Então eu tinha uma satisfação momentânea, mas isso não me levou a lugar algum. Comecei a ficar travado, e com isso passei a ficar pior ainda. Arranjei vários momentos para poder fazer um grande projeto, conseguia criar, tinha um lampejo de ideia, juntava várias pessoas, mas, no final das contas, não desenvolvia nada. Eu tinha um processo de altos e baixos que me custava demais para enxergar que o caminho do amor era a única via a se transitar.

Quando finalizei *Escola para maridos*, eu estava totalmente fortificado, com uma baita energia, e queria continuar fazendo programas com esse formato, entendendo que eu não tinha encerrado a minha carreira, mas o que se seguiu pouco tempo depois disso mudou tudo...

Berenice Lamonica, a Berê, começou a cuidar das minhas coisas muitos anos antes e quando eu ainda morava no Brasil. Muito mais do que agenciar a minha carreira, ela também se tornou sinônimo de amiga, mãe, terapeuta, empresária, me acompanhando no meu trabalho e na minha vida. Claro que a minha esposa Andreia sempre foi minha empresária e cuidava de tudo, mas ela e a Berê estavam juntas em meus negócios. Quando fomos para os Estados

Unidos, a Berê continuava fazendo a minha assessoria de imprensa e também fechava alguns trabalhos, e nessa mesma época a Déia também manifestou o desejo de parar um pouco de cuidar da minha carreira para descansar. Foi assim que nós escolhemos a Berê para gerenciar tudo, pois era uma pessoa que estava sempre muito perto. Ela era uma verdadeira mãezona.

Sabe o que é tirar um peso do tamanho do mundo das costas? A Berê fazia isso com a gente. Ela era aquela pessoa capaz de prover um carinho na alma, aquele relaxamento que tanto buscávamos. Então de repente ela não existia mais...

Berê chegou a ter câncer alguns anos antes, bem na época em que fui apresentar o *Escola para maridos*. Lembro que ela sentia muitas dores nas costas, o que por vezes a fazia se arrastar pelos estúdios. Mas não deixou de buscar tratamento, e foram vários. O câncer era nos ossos, e, apesar de todo aquele período sombrio, ela venceu, ela tinha conseguido vencer o câncer!

Então, quando tudo parecia estar caminhando bem, chega o dia em que Berê contrai H1N1, em julho de 2018. Do hospital, já internada com o diagnóstico em mãos, ela manda a última mensagem para a Andreia: "Andreia, estão querendo me entubar... só reza por mim".

Berê não acordou mais.

Senti profundamente a morte da Berê – sinto até hoje –, e, com a sua partida, ficamos um pouco desestruturados por todo um período. Ela entendia quem eu era, sabia me compreender, gerenciava todas as situações de estresse como ninguém, sabia me vender, e para todas as pessoas que ela tinha no *casting*, ela fazia acontecer. Ela era diferente. E, quando ela deixa de estar em nossas vidas, esse fazer acontecer também acaba.

Quando vibramos na frequência do amor e mantemos a nossa energia e essência nele, desejamos que o outro não passe pelas dores e viva o mesmo inferno que tivemos que enfrentar durante o processo de despertar. Agora imagine como é para uma pessoa como eu, que naturalmente sempre fui apaixonado pelas pessoas?

Vou te falar, um dos processos mais difíceis de toda a minha existência foi encarar de uma vez por todas o que se mostrou inevitável em minha vida desde sempre. Eu precisava acordar para abraçar a minha evolução, ou seja, eu precisava despertar.

Já fique sabendo, o seu despertar vai acontecer com você estando preparado ou não. Ele vai chegar em sua vida, e você terá que se haver com seu marido, sua esposa, seus filhos, seus familiares, seu trabalho, suas questões emocionais, e tudo o mais que o cerca.

Não adianta correr, porque assim será.

Agora, sabe que acontece quando a minha hora finalmente chega? Ela chega, e não há mais caminho de volta para a involução! Eu realmente já estava me sentindo destroçado pelos últimos eventos, tentando buscar todas as respostas que não vinham por mais que eu forçasse. Mas sabe aquela história de "peça pois serás atendido"? É isso! Eu já havia pedido para o Papai do Céu o processo de compreensão da existência; havia clamado por um processo de integração, que é o que conhecemos como "iluminação". Eu queria evoluir!

E aí que descobri que precisamos tomar cuidado com aquilo que pedimos...

Todos os dias temos a oportunidade de criarmos algo melhor em nossas vidas.

Me acompanha aqui:

Quando você acorda, a cada 60 segundos, você constrói "1" minuto de vida.

A cada 60 minutos, você constrói 1 hora de vida.

A cada 24 horas, você constrói 1 dia de vida.

Use cada segundo para decisões que te levem a ter uma vida que valha a pena ser vivida.

Em um segundo você pode decidir:

Ajudar ou abandonar

Pacificar ou brigar

Tentar ou fazer

Odiar ou amar

Aprovar ou cancelar

*A cada segundo, uma intenção, um
pensamento, uma ação que gera uma
reação, que pode te levar a um fluxo
de vida, ao caminho da felicidade,
ou pode te aprisionar em ciclos
intermináveis de sensações negativas.*

*As escolhas de cada segundo, que se
transforma em minuto, que se transforma
em hora, dia, semana, mês, ano, década,
influenciam na construção da sua vida.*

*Suas escolhas, neste segundo,
estão construindo suas sensações,
suas experiências no agora.*

A ILUMINAÇÃO

Despertar. Ascender. Iluminar...se. Se tem uma coisa que a gente vai encarar antes de alcançar esse almejado estado de iluminação é o vale das sombras. Quando o meu processo de querer entender várias coisas e não conseguir se intensificou, cheguei a procurar ajuda médica no Brasil. Assim, me prescreveram remédios para equilibrar meu estado emocional, mas na realidade eles não me ajudavam a entender o que estava acontecendo. Eu também não tinha retorno da psiquiatra, que nunca podia falar comigo... não tinha uma mão para me ajudar a compreender o que era tudo aquilo que eu sentia. Então procurei um psiquiatra também em Miami, nos Estados Unidos, e assim mais um novo ciclo de dores e remédios começa. Cheguei a ficar três dias na cama tomando medicação para dormir. Três dias direto! Esse foi o momento que cheguei e falei para a Andreia: "olha, se vira que eu não sei mais o que fazer. Eu não consigo te aconselhar".

O que vivenciei ao longo de todo o meu processo de amadurecimento na realidade foi um ciclo infernal de muitos anos e que começa em meus 15 anos de idade, quando identifico aquela sede por conhecimento, mesmo não sabendo como a saciar. Foi assim na escola, lugar em que ao mesmo tempo que eu queria entender, sentia uma resistência incrível me puxando para baixo. Mas, como eu tinha poucos resultados favoráveis àquilo que eu queria, eu acabava sempre indo para trás. Havia também as dificuldades de leitura, como também já contei aqui para você, tanto que eu buscava me nortear pelos grandes pensadores, indo atrás de materiais que eu pudesse interpretar e compreender. Eu queria entender o que era o pensamento. E por que eu não estava conseguindo pensar.

Acontece que, de tanto pedir respostas, ao final de toda uma caminhada elas vieram, mas não só uma a uma; foram todas de uma vez, ao mesmo tempo, e sem pedirem licença para invadir a minha mente, me fazendo então acordar para nunca mais viver num estado adormecido de alienação. Deixa eu te contar uma coisa: não há uma fórmula mágica para alcançar esse estado desperto, e o processo é sempre pessoal e intransferível. Mas pode ter certeza de que ele muito provavelmente vai chegar no momento em que você estiver encarando o seu abismo pessoal, e é aqui que temos que tomar cuidado para proteger não só a nós mesmos, buscando aceitar esse processo e não o rejeitar, mas também as pessoas ao nosso redor.

Em 2019, eu quase perdi a Andreia. Já estávamos quase chegando ao final do ano, e era visível que ela não estava aguentando mais aquele *looping* emocional que eu estava experienciando. Estava decidida a jogar tudo para o alto, afinal era muita coisa em suas costas. A gente não conseguia na verdade se encontrar. Ela não conseguia entender o que eu queria, não conseguia se incluir naquele meu espaço, nem eu me incluía no dela. Eu vivia usando o jogo de tênis para sair da cama, e ela adorava ficar em casa vendo Netflix.

Aquela foi uma fase em que virei um *walking dead*. Saía de manhã, por volta das 6 horas da manhã, e falava "daqui a pouco eu volto". E nisso me perdia no restante do dia depois da partida de tênis, ora num churrasco, ora num café, e só voltava tarde da noite. Eu estava sempre buscando coisas que eu não estava encontrando, mas que sentia uma verdadeira necessidade de buscar. Queria entender o porquê, naquele momento, daquilo tudo. Por que eu estava travado? Nem falar mais eu conseguia, não conseguia entender, não conseguia organizar as ideias. Ficava mais quieto, não conseguia criar. Aí começa outra camada no inferno, mais profunda, até chegar à apatia.

Quanta coisa eu tive que superar... Eu não conseguia realizar o processo de entendimento das coisas. Era difícil somar palavras e formar pensamentos, mas, quando eu vivenciava um processo intuitivo e me sentia conectado, isso acontecia em um nível extraordinário. Agora, quando eu me encontrava desconectado, vinham o medo e a frustração, e é assim que nos perdemos de nós mesmos. Eu perdia tudo novamente. Então tinha espasmos da intuição, ficava brilhante, e depois, quando estava desconectado, ia para o inferno novamente. Muita gente acha que isso é bipolaridade, que poderia ser, mas não era. Eu não fui diagnosticado com isso. Procurei neurocientistas na época, que não tinham tanta informação, e fui atrás de vários lugares para encontrar respostas... mas não era assim que eu iria finalmente entender o que estava acontecendo.

Você já parou para pensar com qual intensidade você sente tudo o que acontece com você e ao seu redor? Eu sempre senti muito. Sinto tudo muito profundamente, e quem é dotado de muita sensibilidade vai ter o seu processo mais puxado mesmo. Quem não se anestesiou perante a vida, toda vez que passar por algum processo de transformação, vai sentir muito mesmo, sentirá aquilo que chega a ultrapassar o corpo, extravasando a si mesmo, em cada partícula da existência.

Imagine lá atrás, quando você ainda não conseguia dar os nomes ao que te acontecia porque você ainda não possuía o conhecimento para dizer o que cada coisa é. Então você cresce, vai se desenvolvendo, e a nossa vida segue em paralelo, temos a nossa profissão, a nossa vida comum, nossas obrigações comuns, encontramos o amor da nossa vida, nos casamos, temos filhos, temos uma casa, seguimos caminhando em nossa jornada, mas ao mesmo tempo há essa sensibilidade que você sempre carregou, porém é como se fosse tanto um dom quanto uma maldição. Ela sempre esteve com você, pois é parte de quem você é. E aí, como lidar com isso?

Hoje eu entendo por que me sinto tão feliz ajudando as pessoas a se descobrirem. Meu desejo é fazer com que o processo não seja tão doloroso e de tanto sofrimento para aqueles que também sentem mais assim como eu. Isso me arrepia num grau de profundidade absurdo, porque é muito difícil as pessoas terem esse nível de sensibilidade e intuição, pois isso foi arrancado na maioria de nós pelo sistema de educação que recebemos desde a infância.

Quando nos conhecemos verdadeiramente, tudo é tão impressionante e transformador, que nada mais que te emociona precisa ser motivo de fazer você se sentir fraco, pequeno ou desajustado, porque não há nenhum desajuste, e é essa mensagem que eu quero transmitir aqui para você. Isso é o mais importante de tudo.

Hoje em dia, com toda a compreensão que vem despontando na sociedade, nunca tivemos tantas pessoas despertando ao mesmo tempo. E isso é fenomenal, é incrível, porque aí sim a gente consegue viver uma vida de verdade. Não é uma ilusão. Deixamos de ficar aprisionados no jogo da simulação. Nós passamos a viver, pois finalmente sentimos para pensar. O sistema de coisas como conhecemos quer resistir a esse processo de evolução que acontece com o despertar, querendo manter a vida das pessoas sem a possibilidade de alcançarem o extraordinário. Então, quando hoje vejo que nos piores momentos eu tinha capacidade de fazer o que eu faço, pois o meu aprendizado foi todo no fazer e jamais desistir, percebo o quanto lutei para não ser engolido por esse sistema.

Eu nunca me limitei mesmo com todas as dificuldades e os medos que carreguei; apesar dos muros internos, eu aceitei todos os meus processos e me transformei. Em vez de ficar paralisado, já parti quebrando cada parede que encontrava diante de mim até chegar na quarta parede e finalmente ver que a vida não é só isso aqui que muita gente pensa que é. E em tudo isso eu era sempre impulsionado pela vontade de vencer a mim mesmo sempre, ainda que com as condições adversas, porque sentir, muitas vezes, exige uma grande força.

Quando os dias mais turbulentos cessaram, passei a explorar novas formas de conhecimento, incluindo meditação, treinamentos emocionais, espiritualidade; me cerquei de tudo o que pudesse me ajudar a passar por esse processo e foi daí que eu entendi muita coisa que estava bloqueada em minha mente. Finalmente abracei esse processo e saí entendendo como me conectar, fazendo um mergulho dentro de mim e explorando cada vez mais os mistérios da vida. À medida que passei a entender o que estava acontecendo, me vinha uma intuição da eternidade realmente, e dali em diante entendi qual era a minha verdadeira missão: ajudar todas as pessoas. E essa missão não é somente aqui. Isso é pela eternidade. Daqui para o infinito, eu vou estar fazendo isso. A minha missão não é para o agora, a minha missão é muito maior.

CONSCIÊNCIA EXPANDIDA

Você sabe o que acontece quando passamos a ter uma expansão da consciência? Ficamos mais perceptivos, ou seja, nos tornamos sensitivos e predispostos a nos proteger de perigos reais. Um tempo atrás aluguei um apartamento que eu e a Andreia tínhamos em Miami. O inquilino era um rapaz jovem, superbacana, usava uns tênis da moda e ostentava a sua grana com uma Ferrari e outras coisas. Disse que iria morar com mais dois rapazes, e o primeiro aluguel ele já quis me dar logo em dinheiro. *Opa...* Eu senti, não julguei, mas percebi que alguma coisa estava errada quando ele teve essa atitude. Então me conectei com o que era e falei "tem alguma coisa errada com ele". "Cara, não vou aceitar isso", disse à corretora. Eu não sei o que era, mas eu não estava me sentindo bem com aquilo. Passado um tempo, ele acabou ficando e queria modificar o apartamento, colocando umas cortinas elétricas, algo de que discordei na hora. Resumindo, não mudou as cortinas mas substituiu os sofás, tirando o que a Andreia adorava. Três meses antes do término do contrato de locação, ele parou de efetuar o pagamento do aluguel.

No final do contrato, ele falou que não queria sair. O sobrinho dele então começou a me ligar para tentar renegociar as condições da locação, mas não houve acordo. Acontece que senti uma energia bem densa daquelas pessoas, e isso se tornou muito forte dias depois, quando entrei num processo de transe profundo durante uma meditação. Lembro que eu estava muito irritado, pois naquele momento aparece uma visão de que eles eram traficantes, então, ainda em transe, vou até o apartamento, mentalmente, e os expulso na base do grito. Eu os via correndo, e na sequência tudo terminou. Quando saio do meu processo meditativo, penso que havia sido apenas a minha imaginação, afinal eu queria expulsar o cara de lá, de alguma maneira, mas não levei a sério o que havia acabado de acontecer. Mas foi sério! A corretora havia ligado para aquele rapaz e dito, "você precisa desocupar o apartamento, pois o contrato se encerrou ontem", e ele respondeu: "Como assim, sair do apartamento? Vocês me expulsaram de lá!". Quando soube dessa conversa, na hora questionei a corretora por que ele tinha falado aquilo, e a resposta foi que ele saiu correndo, deixou tudo, fechou e trancou a porta depois que havia sido expulso, deixando as chaves lá dentro, então ele nem teria mais como entrar. Depois disso, proibimos a entrada dele na portaria, e, quando a corretora foi vistoriar o apartamento, encontrou várias facas, canivete, um monte de seringas de droga jogadas por todo lado, tênis de marca, entre outras coisas. Ali eu vi que o negócio tinha sido feio e até pedi a ela que recontasse a história. "Ele falou que a gente expulsou, mas ninguém esteve lá pra expulsar, a gente não falou nada", disse a corretora. Ele de fato havia saído correndo assustado, e eu fiquei assombrado ao entender a força que carregamos quando finalmente despertamos.

Depois desse episódio, passei a entender muita coisa que eu não entendia e comecei a me abrir cada vez mais para a espiritualidade. Uma a uma, as áreas da minha vida foram sendo tratadas. No meu relacionamento com a Andreia, por exemplo, para nos reconectar, tivemos que enfrentar juntos a maior prova de todas.

Em seus olhos

Eu acho que finalmente conheço você

Eu posso ver além do seu sorriso

Eu acho que posso te mostrar que aquilo
que temos ainda vale a pena

Você não entende que o amor é como um fio

Que continua se desenrolando mas então

Ele nos amarra novamente juntos no final?

Em seus olhos, posso ver meus sonhos refletidos

Em seus olhos, encontrei respostas
para minhas perguntas

Em seus olhos

Posso ver as razões de o nosso amor estar vivo

Em seus olhos

Estamos flutuando a salvo de volta à praia

E eu acho que finalmente aprendi a amar mais você

E ele me previne que a vida mude

E que ninguém sabe realmente

Se o tempo nos transformará em estranhos

Quando voltei para o Brasil em setembro de 2020, em função da reprise da novela *Laços de família*, resolvi que passaria uma temporada maior que a de costume, afinal meu processo de evolução continuava, e eu sentia que precisava estar na minha terra natal. Como estávamos atravessando a pandemia do coronavírus, eu tinha vindo sozinho, mas a Andreia queria vir e estava esperando apenas uma oportunidade. Como todos os anos fazemos *checkup* em São Paulo, ela aproveitou a ocasião e já marcou todos os exames logo que nos reencontramos.

Andreia não estava sentindo absolutamente nada e foi fazer aqueles exames por fazer. Era uma fase particularmente delicada que vivíamos, pois ela havia suportado muita barra durante meu processo de despertar, então estava querendo viajar, rever as amigas, estudar novas possibilidades. Mas a ligação da sua médica com o resultado dos exames em mãos mudou tudo dali em diante. "Andreia, você pode voltar ao hospital? Quero muito fazer novas imagens do seu exame." Naquele mesmo dia, a pedido da ginecologista, a Andreia retornou ao hospital. A médica explicou a ela as suas suspeitas e disse que havia a necessidade de uma biópsia. No mesmo dia, procurei meu grande amigo, Dr. Pedro Batista, que logo me acalmou e nos guiou nesse processo todo. Aqui está um exemplo de quem são os amigos. Anjos em nossas vidas.

Não demorou muito tempo quando veio o resultado, e uma ligação, agora do Dr. Evandro, seu mastologista. "Andreia, chegou o resultado do seu exame, e quero muito que você venha para conversarmos". Mas do telefone mesmo a Andreia já havia pedido para adiantar o assunto e dizer o que estava acontecendo.

"Você realmente está com câncer, e precisamos agora traçar uma estratégia para o seu tratamento." A calma e a força interior da Andreia foram impressionantes naquele momento. Do interior de um carro de aplicativo, ela simplesmente se despediu do casal de amigos que estava com ela, retraçou a rota e foi direto para o consultório, dizendo a sua amiga que acabava de perguntar se estava tudo bem: "Está, deu lá no resultado do meu exame que eu estou com câncer mas está tudo bem". A amiga começou a chorar. A Andreia logo me ligou e fui ao seu encontro no consultório do seu mastologista. Como assim ela estava com câncer? Como iríamos contar para os nossos filhos e para a família?

Chegando lá, fomos absorvendo uma a uma as informações. Descobrimos que o tumor estava localizado em um quadrante de uma das mamas, mas a Andreia não teve dúvidas em dizer na hora para o médico que já preferia tirar as duas de uma vez para evitar que se espalhasse, decisão que o médico só acatou depois que novos exames confirmaram a presença da doença nas duas mamas. "Vamos tirar tudo antes de você fazer qualquer tratamento, como quimioterapia ou radioterapia. Com o sucesso você se privará de algo mais invasivo." E assim foi feito, e a gente ficou sem poder pensar, sem poder sofrer muito...

Estávamos em pleno outubro rosa, e, num espaço de quinze dias desde o diagnóstico, a Andreia dava entrada no centro cirúrgico. Só não contávamos que o resultado da biópsia indicaria a necessidade de uma nova cirurgia, e aí me abalei. Mas ao mesmo tempo sentia que não podia deixar a peteca cair de maneira nenhuma, então só focava em transmitir muita força para ela.

Em um primeiro momento, pode ser até engraçado notar como são as coisas, mas, se pararmos para enxergar mais de perto, passaremos a entender cada vez mais o que acontece em nossa vida e por que as coisas acontecem do jeito que acontecem.

Exatamente naquela época, estávamos atravessando um distanciamento entre nós como casal. Ela vinha de um trajeto no qual não queria saber de nada comigo, e hoje entendo que ela estava tentando se preservar, cuidando mais de si. Mas de repente descobre um câncer de mama. E é nessa hora que eu corro para ficar junto dela, deixando quaisquer diferenças de lado.

Depois das duas cirurgias, a Andreia teve que ficar por três meses em recuperação e, ao receber alta, ela voltou para a nossa casa nos Estados Unidos. Há vários relatos de casais que se separam depois que a mulher descobre o câncer de mama; principalmente o marido sai do relacionamento.

Comecei a perceber que a Andreia estava sentindo muito essa energia de separação, e tempos depois afirmou que essa energia causava uma dor muito maior que o câncer, como se nessa dor ela tivesse acordado para ver tudo aquilo o que não queria mais, e dali sentia de uma maneira muito forte que nosso casamento estava acabando. Nessa época, ela já operada e em repouso teve vontade de vir para o Brasil. "Estou indo pra aí", foi a mensagem que recebi, afinal não estávamos nos falando direito porque eu ainda em muitos momentos me desligava totalmente para ficar ligado no meu processo de imersão interior. Nisso a Andreia também começou a sentir assim como eu. E aquela fase que poderia ser a mais obscura de nossas vidas se tornou a fase de resgate do nosso casamento.

Naquele momento poderíamos ter desistido de tudo, fugindo daquela situação, porque tudo estava acontecendo ao mesmo tempo, mas nós dois queríamos esse resgate, queríamos que fôssemos sinceros um com o outro, e nossos filhos também esperavam pelo melhor para as nossas vidas.

Se em algum momento na sua vida tudo estiver acontecendo ao mesmo tempo, como mudanças significativas, crises, doença, perceba que você pode estar recebendo um enorme alerta do Universo para acordar e prestar atenção em como você tem conduzido a sua vida. Confrontar com a finitude da vida, seja a nossa ou daqueles que amamos, nos faz sintonizar numa frequência até então negligenciada em muitos de nós. E é nesse momento que a desconexão pode ser transformada pela vibração do amor.

Eu precisava ter a minha mulher ao meu lado, e ela sentiu a minha vibração e veio. E foi assim que juntos entramos num processo de estabilização de energia, de compreensão e muita luz. Nossa conexão se tornou algo fora do comum, como nunca antes tivemos. Começamos a viajar para vários lugares espetaculares, realizando visitas exploratórias, algo novo de que eu não gostava antes. Não era tão fã de florestas e viagens assim, eu antes gostava do conforto, mas os aprendizados que foram chegando mudaram meu modo de enxergar a vida e me trouxeram novas habilidades antes inimagináveis para mim, como saber dançar. Começaram a surgir, além das habilidades, várias formas de pensamento e muita força. Já não sentia medo de nada, não tinha possibilidade de achar que eu não estava no comando de tudo na minha vida. Não havia o externo, não havia medos. Agora só havia espaço para certezas.

Desse ponto em diante da nossa história, conseguimos passar três dias trancados literalmente repassando trinta anos de casamento. Cuidamos de tudo, desde o momento em que nos conhecemos até as vezes em que brigamos. Aqui praticamos o perdão, a compaixão e o respeito mútuo. Esses dias foram muito densos, mas ao mesmo tempo essenciais para sentirmos o quanto nos amávamos e o quanto éramos importantes um para o outro; além de terem sido muito importantes também para que a Andreia aceitasse experimentar as minhas descobertas, e assim fomos conseguindo nos conectar em um novo nível de entendimento. Resolvido tudo o que havíamos nos concentrado naqueles dias para resolver, começamos a fazer tudo aquilo que queríamos, como sair às quatro horas da manhã e pegar duas horas de estrada para ver o sol nascer na costa leste e, no mesmo dia, três horas para irmos à costa oeste para apreciar o pôr do sol. E hoje a gente se entende mais do que nunca, foi muito mais do que uma restauração que tivemos em nosso relacionamento, foi uma fusão, pois tudo passou a ser mais intuitivo e dotado de sincronicidade. Cada experiência cultural que passamos a viver a partir desse momento de conexão plena começou a ter um novo significado, com profundidade, pois passei a enxergar como tudo realmente está conectado e repleto de energia. A percepção se tornou tão ampliada que passei a ver como tudo acontecia ao mesmo tempo tanto no campo material como no imaterial. E assim o impulso de sentir para pensar passou a alcançar tudo e todos ao redor, incluindo uma nova percepção de futuro.

FALANDO EM AMOR...

Falar sobre o amor geralmente é taxado por todo mundo como sendo algo piegas. Mas se é piegas, que maravilha, eu adoro ser piegas, porque funciona assim! Nós somos assim. E estamos aqui para poder vencer nossos instintos mais primitivos, controlados pelo sistema nervoso central para finalmente nos abrirmos para cada potencialidade da vida. A vida é para ser vivida em uma plenitude, independente de todos os acontecimentos externos, e para isso basta entender que a vida interna que nós temos é a mais importante de todas. Se você tem e nutre essa vida interna, nada que tem fora vai abalar. Essa vida interna pode e deve ser acessada por você a todo momento, sendo necessário apenas que você descubra quem você é e entenda o que você quer de cada dia da sua vida.

Quando você quebra o ciclo de pensamentos que não representam quem é você, com os quais você não se identifica, a sua capacidade de sublimação, respeito e aceitação de que isso não te pertence terá alcançado um novo nível, no qual a raiva já não se faz presente, e você enfim entende que tudo é um processo de aprendizado. Então, aqui reitero para você as minhas descobertas sobre a beleza da nossa existência:

Nutra pensamentos de colaboração,
aqueles pensamentos de mãos dadas;
Nutra pensamentos da construção da família,
porque, quando você pensa no que significa família
em seus vários níveis, como parentes, amigos
e trabalho, e entende que tudo é a base, aprende,
enfim, o que é a energia do amor.

Poderia até parecer natural o pressuposto de que que todo mundo quer vencer na vida, mas a realidade é que tem gente que desiste de alcançar a vitória porque simplesmente nem se vê na oportunidade. Esse perfil é tão suprimido que aceita tudo que dizem a seu respeito e acaba se fechando em si mesmo, até dizendo: "Ah, eu sou assim mesmo". Nisso, essa mesma pessoa vai carregando uma vida que não tem a menor vontade de viver porque no final das contas mal sabe o que é vontade.

Porém, tudo isso muda a partir do momento em que você resolve abraçar a sua própria jornada rumo ao despertar.

A DINÂMICA DO AMOR IV

Atenção, senhores passageiros!
Apertem os cintos!
E não esqueçam a máscara de despressurização!
Vamos descer agora!
Mas sem pânico!
As nuvens do céu azul serão avistadas
logo depois da turbulência.

A partir do momento em que você toma a decisão de acordar, passa a finalmente enxergar a vida, e, tal qual uma criança, irá levantar para aprender a andar. É o mesmo processo. Você vê que a criança vai tateando para poder andar, até conseguir andar, e descobrir e vivenciar seu processo pessoal de despertar é exatamente assim. Haha! Hihiii! Não tem fórmula mágica, amiguinho! Mas continue seguindo, não pare agora no processo, pois o que for sendo revelado durante o caminho servirá de guia. Acredite.

É certo que vão aparecer resistências de todos os lados, todos os dias e todas as horas, para fazer com que você desista de sentir para pensar, que é a via expressa para o seu despertar e consequente evolução. A resistência está aí para diminuir o sentido da sua percepção, tanto que chega uma hora em que até o bicho-papão começa aparecer, mas daí você o visualiza bem pequenininho.

Essa dica também serve para aquele chefe que está pegando no seu pé e te deixando de saco cheio, a ponto de você não aguentar olhar para cara dele. Seja o chefe ou outra pessoa que esteja tirando a sua paz, faça o seguinte: feche os olhos agora e imagine essa pessoa. Visualizou? Cabelo, olhos, tudo. O que você está sentindo? Ódio, raiva ou algo negativo? Ok, agora ela está bem colorida? Então coloque-a em preto e branco. Em seguida vá diminuindo o tamanho dela, bote-a bem pequenininha. Agora lembre de algo que ela tenha falado que te incomodou muito. Na sequência, mentalize essa pessoa falando a mesma coisa, mas com a voz do Pato Donald. Ou com a voz do Catatau*, ou do Batatinha**. Viu só? Se você realizou essa dinâmica, você já está rindo!

---

* Personagem da série de desenho animado *Zé Colmeia*, criada na década de 1950.

** Personagem da série de desenho animado *Manda-Chuva*, criada na década de 1960.

Trata-se de uma questão de percepção. Muitas vezes aquilo que te atormenta não é real, e, se você muda rápido a percepção sobre isso, é porque não é real mesmo. Nosso estado é de estar no amor, só não estamos no amor porque não aprendemos a vencer os nossos sistemas de defesa, os quais são constituídos pelo nosso sistema nervoso, que é incrível e nos ajuda a entender e nos salvar de muitos perigos. Mas, em escala exagerada, esse sistema fica gerando falhas de funcionamento como estresse, dores e doenças.

Então, se você entende que tudo é possível, que mudar a percepção é possível, e que também é possível mudar a si próprio, vencendo os processos mais adversos e consequentemente a si mesmo, entende que o que te colocará no caminho do amor passa primeiro por entender quem é você, por pensar por você mesmo e, assim, compreender a sua missão, aquela que aquece o seu coração, como já falei aqui.

Agora, se ainda estiver com dificuldades de sentir esse aquecimento para então iniciar seu processo de despertar, aqui vai um exercício que ajudará a te destravar.

1. Conecte-se com sua vida interna

O objetivo dessa dinâmica é realizar uma viagem para dentro de você para que responda à pergunta "Quem sou eu?", então é aqui, neste momento, que você se desconecta do externo, do que está a volta, e também do externo presente em sua mente que venha para te distrair e começa a respirar mais lenta e profundamente. Você respira, pausa, escuta, respira, fecha os olhos, respira e aguarda. Deixe o pensamento vir, porque ele vai vir, é assim que acontece. Mas persista no foco em sua respiração até que toda sua atenção esteja nela. Logo o pensamento se vai, e aí, como num momento mais inesperado, a resposta que você aguardava aparece e aquece o seu coração.

Antes de entrar nesse processo mais íntimo e pessoal consigo mesmo, é importante se preparar, realizando essa prática logo ao acordar, o momento em que a mente está mais revigorada. Quando você acorda, está mais revitalizado, então é muito fácil você fazer essas perguntas:

Tudo o que eu aprendi, as minhas opiniões, são as minhas opiniões ou eu uso a opinião de outro porque é mais fácil?

Quem eu sou?

Qual é o meu papel?

Por que eu faço o que eu faço?

Eu sei que você já sacou que essa jornada de descoberta só se torna possível quando passamos a ser mais reflexivos, e, partindo do princípio de que a maioria das pessoas não estão reflexivas porque só estão indo com o movimento contínuo do sistema, provavelmente apenas algo muito maior que venha a abalá-las, como uma grande perda, uma forte crise ou uma grave doença, será capaz de tirá-las dessa forma cadenciada de viver todos os dias iguais e desprovidos de plenitude.

Quer evitar isso? Então trate de se conectar com sua vida interna. Lembre-se: é pelo lado de dentro!

Quando identificamos o processo de autoconhecimento como parte fundamental da descoberta de nossa missão e passamos a ir ao encontro de quem somos verdadeiramente com excelência, pode parecer difícil no primeiro dia, no segundo, no terceiro. Mas ao topar fazer esse processo com excelência, o que não tem a ver com o peso da seriedade, mas com responsabilidade, você começa a curtir, na realidade aprende a curtir aquilo que faz.

É aquilo que sempre digo: é mais fácil meditar em cima de uma montanha, na natureza, na praia, do que na avenida Paulista. Mas a ideia é que sejamos capazes de meditar em qualquer lugar, mesmo com interferências, pois conseguimos trabalhar para ter domínio da nossa mente. Não é dominar o externo, mas prestar atenção no interno.

Assim como quando uma pessoa decide emagrecer, passa a frequentar academia e fazer dieta, pois ela respondeu o porquê de fazer isso para ela mesma, o processo de autoconhecimento exige intenção e foco para ação. Isso é bem básico, é um primeiro princípio para poder realizar algum plano de vida. Depois, você consegue ir mais fundo nas camadas, porque esse é um trabalho de autoconhecimento para chegar em um nível muito alto de domínio da vida, esse é um exercício que você tem que ter.

O domínio da vida é um processo no qual você vai orquestrar a sua mente, você vai dominar entendendo primeiramente por que você está dominando. Você vai dominar a sua mente e, se não entender que existe um sistema que reforça o egoísmo, o troféu e tudo mais, você não tem esse reconhecimento. Agora, quando você identifica que pode se inserir nesse sistema sem ser pego por ele, afinal de contas nós temos que estar nele pois vivemos neste Universo, passamos a usar esse sistema da melhor maneira para nós, sem nos envolver com ele, e ainda assim transitar no caminho do amor.

A essência do EGOísmo

Aquele que prega o egoísmo é aquele
que desconhece a essência do Amor.

E, logo por não conhecer tal essência, se
nutre com aquilo que conhece (EGOísmo).

É igual a andar em um mesmo
caminho todos os dias, escuro,
esburacado, cheio de poça de água.

Este não conhece o caminho
que é claro, limpo, bem asfaltado,
bem iluminado, pois não sabe onde é.

No EGOísmo, a sua Estrada da vida se
torna escura, a poça de água te molha,

e mais cedo ou mais tarde você cai no Buraco.

No AMOR, sua estrada é
bem iluminada, clara, nítida.

É claro que, na Estrada do EGOísmo, você
pode cair em um buraco, mas pode se
levantar e escolher uma nova estrada.

*Se a lição do BURACO foi aprendida,
com o arrependimento, o perdão, a
gratidão, o aprendizado, você pode
gerar uma nova energia através da sua
intenção, vontade e ação, e se dirigir a
esta nova estrada iluminada e nítida.*

*Em qual Estrada da Vida que você está ou
qual ainda continua escolhendo para você?*

A Estrada do EGOísmo é a Zona do inferno.

*A Estrada do AMOR é a verdadeira
Zona de CONFORTO.*

*A ESCOLHA é sua, e as Consequências e os
Resultados dessa Escolha também são seus.*

*Então se responsabilize tanto pelas suas
ESCOLHAS como PELOS SEUS RESULTADOS.*

E não jogue na conta de ninguém.

Qual é a SUA ESCOLHA?

O CAMINHO DO AMOR

V

Muita gente hoje em dia não é capaz de dar um mergulho dentro de si mesmo, porque só quer fazer esse movimento para fora. Para essas pessoas, aliás, tudo é para fora, nada é para dentro. Mas sabe por que isso acontece? Porque todo mundo está querendo entrar ainda no processo de recompensa ou medo; ou seja, para eu fazer isso, eu preciso ter aquilo.

Por exemplo, muitos acreditam que, para salvarem suas vidas, precisam cumprir à risca uma série de regras; então, como confiam na promessa de recompensa, acabam seguindo a cartilha. Mas não funciona assim, e sabe por quê? Porque na realidade o funcionamento dessas pessoas está acontecendo pelo medo.

As pessoas vivem em função do medo e muitas vezes vivem uma vida inteira assim. Pode ser um medo do julgamento, de uma sentença, uma condenação. Então diante disso elas paralisam. Mas quer maior falta de autenticidade do ser do que o ato de não acreditar nele próprio? Além de não acreditar em si, muitos que até dizem crer numa força maior, na força de Deus, na verdade passam uma vida interna que diz o contrário. Quantas pessoas que conhecemos estão buscando compensar a sua culpa interna na tentativa de afirmarem para si mesmas que são boas? E é neste momento eu te pergunto: você está lembrado da simulação?

Enquanto você não souber o quanto de você é você ou aquilo que é simulado, a sua existência se resumirá na realidade a uma sobrevivência diante dos medos.

Você quer alcançar a paz e seguir pelo caminho do amor? Simples. Faça sem querer nada em troca. É assim que funciona. É muito mais simples fazer o que precisa ser feito sem querer nada em troca, e esse exercício deve ser feito agora. Não importa o que você vai receber depois dessa ação. E, quando a dúvida surgir, não retroceda, porque não é preciso ter certeza de nada, exceto a certeza de que em cada parte da existência deve haver o amor. É no amor que precisamos acreditar, e é em direção a ele que devemos ir.

Seguir o caminho do amor possibilita que a pessoa, em especial aquela que se sente desmotivada e fora do eixo em razão de uma doença, uma perda ou uma frustração, enxergue sob uma nova ótica. Ela passa a entender que muitas vezes ela mesma está fazendo mal para si própria. A doença é uma falta de harmonização com as leis universais, por isso o sentido de autorresponsabilidade não deve ser ignorado. Contudo, a maioria das pessoas não quer acreditar nisso. Todo mundo quer acreditar que o que passamos acontece numa relação na qual somos apenas a vítima.

"Por que eu?"

"Por que eu nasci assim?"

"Por que ele nasceu daquele outro jeito?"

Quanta gente vive se comparando?

Cada um é um ser único e tem a sua importância no seu próprio mundo, que não é uma bolha! A consciência coletiva de massa foi criada por instrumentos de pensamento de outros para manipulação. Por isso há o esforço de sair dela quando iniciamos o processo de despertar.

É o seguinte: vai querer tomar a pílula vermelha ou a azul? Entendeu agora? A gente tem a Matrix, tem o mito da caverna, tem tantos escritos da humanidade que ninguém quer seguir. "Ah, mas não vou seguir aquilo lá, não vou ver porque meu Deus é melhor do que o seu, a minha filosofia é melhor do que a sua." Enquanto cada um ficar tentando impor no grito a sua verdade, todos continuarão se distraindo da única coisa que verdadeiramente importa:

AMOR.

Quero ver alguém contra-argumentar quanto a isso. Você consegue?

Na realidade tem um monte de gente do contra que tenta fazer isso, sim. Tem aqueles que adoram ser pessimistas, com todos os seus argumentos e pensamentos... Se dermos ouvidos, é um pulo para o inferno!

Então fique sabendo que é uma escolha pessoal se você irá viver um inferno ou se irá viver um paraíso nesta terra. Assim como a abelha não vai ficar insistindo para a mosca que mel é melhor que estrume. Se a mosca quer ficar no estrume, o que a abelha pode fazer? Eu sei que é duro, mas ela não pode dizer "vem pra cá" quando a mosca está visivelmente satisfeita com o estrume...

Chega uma hora em que você está na pior e será preciso se libertar. Então dê um basta! Não aceite nenhum tipo de supressão vindo de baixas frequências como a raiva, o ódio, o rancor, a maledicência. Nada disso pertence a você, então você tem o poder de determinar que dentro de você nada disso terá espaço mais. Dê um basta. Dar um não para a ignorância e um sim para a sabedoria, da qual todos nós somos dotados. É preciso apenas se colocar na rota certa para o caminho do amor.

Agora, está tudo bem também se a pessoa sentir que precisa de ajuda. Ela pode pedir e deve. Mas irá perceber que muita coisa que a ajudará partirá diretamente de sua alma. Você deve pedir ajuda a sua alma para te guiar. Contudo, muita gente não tem capacidade de recorrer à própria alma, porque não está nem enxergando a si mesma. O ser humano está entrando em processo de extinção. Então achar um que possa ajudar, sem buscar pelo próprio ego, vai ser difícil, porque as pessoas estão cada vez mais se perdendo, e muitas estão até mesmo assumindo outras formas do ponto de vista emocional, assemelhando-se ao que vou chamar aqui de "amebas" e "fantoches".

Você vai pedir para a ameba te ajudar? Ela quer se reproduzir e comer.

Você vai pedir para o fantoche te ajudar? Ele está ligado em cordas, como que ele vai te ajudar?

Aí você vai ficar bravo com o fantoche e com a ameba, mas não há o que fazer; afinal, a ameba é ameba, e o fantoche é fantoche.

Ser humano é ser humano. Aí sim. Achar o ser humano para poder te ajudar é onde reside a diferença, e está tudo bem.

Tenho consciência de que, ao usar esses termos, será muito difícil não correr o risco de criar uma barreira entre algumas pessoas, pois muitas ficarão incomodadas de alguma forma com o que estou colocando aqui. Mas essa é a única maneira de tirá-las da zona de inferno. Ô lugarzinho que as pessoas gostam de ficar!

Mas acontece que existe o outro lado, a zona de conforto, que é bem melhor. Curiosamente, a zona de conforto é conhecida por carregar uma conotação negativa, mas pense aqui comigo: qual é a zona que vai te levar para tudo o que não é bom? A zona do inferno ou a zona do conforto?

SENTIR PARA PENSAR **165**

É óbvio que a zona do inferno vai te levar para as camadas mais baixas de frequência que existem.

Você quer ser mosca ou quer ser abelha?

Imagine agora quantas pessoas estão travadas e, por isso, não crescem como seres humanos. Crescem apenas fisicamente. Qual é a escolha que elas têm feito nas suas vidas? Serem moscas ou abelhas?

A abelha já sacou o processo, tanto que ela poliniza e garante que o ecossistema não entre em risco de extinção. Assim, traçando um paralelo, o ser humano que poliniza é aquele que sabe dizer "eu te amo". "Ah, mas é falso", alguém pode rebater. Mas essa é a maior verdade do mundo, então fale assim mesmo! "Eu te amo! Eu te amo! Eu te amo..." Daqui a pouco, sabe o que acontece? Você começa a ouvir uma música... os olhos começam a brilhar, o peito começa a crescer... e vocês começam a bailar.

Agora, se você ficar repetindo "Que droga! Que porcaria!", o que vai acontecer? Exatamente! Você já entendeu tudo agora. É mais fácil repetir porcaria do que repetir amor. Em porcaria você acredita? Lógico que acredita, porque está se identificando com a mosca.

Mas presta atenção no que eu vou te falar aqui. Se a gente não tiver mais abelhas, a espécie humana estará ferrada. Assim como elas polinizam as flores e espalham os frutos para manter a nossa biosfera, precisamos polinizar o amor urgentemente para não extinguirmos a nossa espécie humana.

Ok, vamos lá! Você está preparado para viver a transformação total do seu ser? Está preparado para sentir o amor? Você quer o amor? Então o primeiro passo que você tomará daqui em diante é colocar em prática o título que dá nome a este livro: sentir para pensar.

"Ah, mas eu não estou conseguindo sentir! Só aparecem problemas na minha vida!" A primeira coisa que você deve fazer é parar de comparar a sua vida com a dos outros. Isso mesmo! Está todo mundo fazendo uma comparação com a grama do vizinho. Já disse isso anteriormente e vou repetir mais uma vez: a sua cura virá a partir do momento em que você acreditar mais na vida do que na doença, de acreditar muito mais em Deus do que na ciência, acreditar no Amor, ser maior do que o conhecimento dos homens, porque esse fatalmente nos faz incorrer no erro, assim como a história já cansou de mostrar. Enquanto as pessoas continuarem acreditando em coisas que não são maiores que o amor, subjugarem o amor, que sempre esteve acima de tudo, acima de todas as leis universais, bastando apenas abrir os olhos e ver, o ser humano realmente estará impedido de pensar.

Se neste momento você está enfrentando uma doença ou conhece alguém que esteja, a questão é essa: qual é o aprendizado dessa doença? O que eu aprendo vivendo isso? Sempre haverá em nossa vida uma situação para o bem ou para o mal, mas a questão sempre será o que nós aprendemos com o que nos acontece. E mais, o resultado de todas as equações oriundas desse aprendizado precisa nos levar ao caminho do amor, que é a resposta final. Não importa se é tristeza ou felicidade, não importa! O que importa é o amor. Se você tiver amor, você não tem tristeza nem felicidade, existe amor. Esse é o tema. De novo, vou repetir até se instalar no HD do seu cérebro para nunca mais sair: o amor está acima de tudo!

PELO AMOR OU PELA DOR

Você quer aprender no amor na dor? Daí eu te pergunto: para que aprender na dor? Não precisamos mais disso! A pessoa vai se quebrar toda até o final, até querer acabar com a própria vida? Esse não é um estado natural do ser humano, tanto que parar de respirar por vontade própria é impossível. Essa prática que exige sempre o uso de uma ferramenta para tal é desencadeada pelo medo de amar a vida. Mas quando vivemos no amor e temos essa consciência, independentemente se a pessoa tem uma doença terminal ou qualquer outra condição, haverá vontade no coração dela para trabalhar da melhor maneira possível pela vida.

Liberta no amor, ela pedirá perdão para todas as pessoas, também perdoará todas as pessoas e passará a amar todas elas. E sua cura se dará simplesmente pela consciência, porque o corpo não é nada perante a existência. Por isso, o amor é maior do que tudo, e ele estando em nossa consciência, que também é maior do que tudo, maior do que o corpo, maior do que os nossos pensamentos, enfim conseguirá ser maior do que a dor.

Quando compreendemos como aprender no amor, podemos dizer que finalmente já nos conhecemos. E quando a pessoa se conhece, ela detém um poder. Como coloquei no início deste livro, nós não controlamos a vida, mas, quando nos conhecemos verdadeiramente, passamos a exercer um domínio sobre ela, nós aprendemos como fazer isso. Mas uma ressalva importante aqui é o cuidado que deve ser tomado para não se perder no processo do ego, uma vez que o seu maior inimigo é sempre você mesmo. Você fica achando que o inimigo está fora, porém ele está dentro de você. Tanto que toda supressão advinda dos sistemas sociais nos quais vivemos é regida pelos mecanismos do ego para dominar a população. Basicamente, isso quer dizer que toda vez que alguém estimula o seu ego, esse indivíduo é capaz de controlar você a depender da proporção de influência exercida, afinal ele estará direcionando para você algo que aparentemente você quer. Mas será que você realmente quer?

Contudo, se você está no amor, não tem por que se preocupar com o ego, pois naturalmente haverá temperança. Sabe aquele equilíbrio diante das situações da vida, nas quais você é capaz de manifestar moderação e tranquilidade? Temperança. Os eventos da vida entram em modo fluido, de fluência, de *flow*. E o *flow* é o amor. Obviamente existem diferenças entre indivíduos, mas a proposta é que cada um esteja realmente o mais próximo possível do amor.

> O caminho do amor é o caminho da sua missão. Se você não entender qual é sua missão, não tem caminho. Você é escravo.

Quando você vive a sua vida com base na sua missão, no seu sentido de cumprimento de propósito, não há como se desviar da rota do amor. Ou seja, nós nos mantemos no caminho do amor quando estamos inseridos em nossa missão, entendendo o que ela é e como a desenvolver para vivermos a partir dela. Essa é a única maneira de você ser quem você é, como DNA único nesta existência. Você entendendo bem claro qual é a sua missão, que não se trata de um segmento materialista da vida, você descobrirá como transitar pelo caminho extraordinário da plenitude.

Quando enxergamos com clareza o que viemos fazer neste mundo e passamos a exercer isso com generosidade, nos colocamos cada um em nosso caminho do amor; você no seu, eu no meu e o outro no dele. No final das contas, percebemos que estamos fazendo as mesmas coisas de forma diferente para pessoas diferentes, e esse é o exercício do amor.

Pensando mais profundamente sobre isso, enquanto não encontrarmos o caminho do amor, viveremos numa cegueira e num enlouquecimento, num entorpecimento. Porque isso é algo não natural, e, quando nós não estamos na naturalidade, não há o sentir para pensar. Há apenas um incômodo constante.

Como já mencionei aqui, a vida interna é muito mais rica que a vida externa. E quando você trabalha sua vida interna, ela reflete na sua vida externa. Assim, o que passamos a enxergar será somente beleza, mesmo que possa haver obstáculos no meio do caminho. Eu, por exemplo, consigo ver beleza no que é considerado feio e danificado, pois essa é a única maneira de salvá-lo também.

É HORA DE ACORDAR

Vamos lá, conta aqui para mim, como tem sido a sua vida? Já acordou e viu toda a beleza que habita dentro de você, ou ainda está vivendo como um saco de pancadas dos acontecimentos da sua trajetória?

Você pode até duvidar, mas neste exato instante há milhões e milhões de pessoas que estão dormindo de olhos abertos, dormindo andando, dormindo trabalhando, dormindo criando seus filhos. E o pior de tudo é que, quanto mais ficam presas a esse estado dormente, mais elas apanham da vida, porque esta está aí para ser vivida, não para ser passada diante de nossos olhos como uma simulação.

Se ao chegar até aqui depois de todas as histórias e os aprendizados que generosamente recebi por meio do despertar e que acabo de compartilhar, você ainda sente que tem apanhado da sua vida, está mais do que na hora de acordar, pois essa surra só acaba depois que acordamos. Enquanto não acordarmos, continuamos sendo um saco de pancadas. Quanto mais você dorme, mais a sua própria vida fica batendo em você porque a intenção dela é justamente te acordar! Daí não ser possível viver uma vida plena sem o despertar.

Quando houver a plenitude do amor de cada ser, numa expansão de consciência muito maior, de uma existência de verdade, e não de uma existência simulada, as pessoas irão deixar de ser saco de pancadas de suas próprias vidas.

Desperte e viva uma existência no eterno agora. A eternidade é agora! A eternidade não se vende, porque a eternidade está indisponível na prateleira do supermercado. O amor não se vende, porque o amor está indisponível também. O que ficam vendendo é a esperança, mas esperar não é fazer. "Quem sabe faz a hora, não espera acontecer", como já diziam os versos da canção. As conexões do amor estão em todos os lugares, estão nas músicas, nos textos, no céu, na água, nas flores, nas pessoas.

O sábio enxerga a vida no agora. Ele aprende a cada momento o que ele vê, porque sabe que tem tanta coisa a aprender que não sabe nada. Por isso ele é sábio, porque ele aceita que não sabe nada, mas aprende o tempo todo. Ele percebe as coisas que acontecem ao seu redor, consegue enxergar a verdade do que existe. A sabedoria não é a sabedoria da repetição do papagaio de pirata, mas a concepção do conhecimento por meio de uma análise, uma percepção de vários fatos em que você, ao reunir todos eles, cria o seu conhecimento. E, se for mais perspicaz, estiver acordado, em todos os momentos que você tiver na sua vida, no agora, terá momentos do aprendizado, da correlação com tudo a sua volta, da conexão com a sua essência.

O sábio é desperto, e, assim como o sábio, finalmente quando você despertar terá a compreensão de que de nada adianta o acúmulo de dinheiro se você não puder usar esse dinheiro para fazer a vida de todos melhor. Entenderá que os excessos são incompatíveis com a finitude da vida. Perceberá que nada do material será levado com você ao final da sua jornada nesta vida.

Uma vez desperto, você saberá que nada nos falta, então não será mais necessário ter apego ou acúmulo pelo medo da escassez. Verá também que não há por que competirmos, em vez disso podemos entrar em um processo de colaboração e evoluirmos todos juntos e ainda mais rápido.

Estar desperto é estar no caminho do amor.

Mas, mesmo que nós estejamos no amor, muitas vezes carregaremos pesos. A cada segundo a vida muda de rumo, mas sabendo disso não desanime, pois ainda assim a gente não precisa considerar que esse é o fim da linha. Não tem que ser, já que isso é apenas uma percepção sobre a realidade. Basta não se identificar com esse momento. Se você estiver no exercício do amor, esse peso desaparece. Só vai ficar pesado se você não fizer aquilo que você deve fazer, por isso já tratei aqui de trazer algumas dinâmicas para ajudar você nesse processo. E mais: não evite sentir, pois isso vai impedir de pensar, não se esqueça disso. As pessoas geralmente evitam aquilo que elas não querem fazer ou pensar. Elas querem desistir muitas vezes, e quantas não querem desistir de si próprias? Afinal, o mais fácil é desistir. "Deixa eu desistir porque o mundo é um terror!" Mas na realidade é o mundo interior dessa pessoa que está um terror, mas, como ela só tem olhos para a vida externa, não quer acreditar que tudo pode ser diferente, tudo pode ser melhor. Ah, então é uma questão de culpa? Não! Não se trata de culpa, mas sim de responsabilidade. Você é responsável, sim. Então vá lá! Vá correndo abraçar a sua vida interna porque agora é a sua vez de fazer isso. Cuide mais de você, pois você é a pessoa mais importante da sua vida.

Que você viva esse estado de amor todos os dias agora. E há vários desafios, grandes desafios, contas a pagar. Mas nem as contas a pagar conseguem me deixar para baixo. Me divertir, pular, dançar... Eu vivo tudo o que a vida tem para me dar.

Não fique para baixo, se recuse a chorar, a ficar irritado ou ficar nervosa, a soltar palavrões diante de algo que não saiu de acordo com o esperado em sua vida, aliás nem pense nisso. Simplesmente olhe para você mesmo e diga: "Eu estou me sentindo bem, estou me sentindo ótimo, eu tenho força!". Pronto. Acabou.

Comece hoje mesmo o princípio do amor incondicional por você mesmo e seja muito bem-vindo ao caminho do amor.

O ciclo da vida

O ciclo da vida representa os ciclos
de toda matéria e toda criação.

Tem o tempo de semear (semente)

Tem o tempo de incubar (gestação)

Tem o tempo de desenvolver (florescer)

Tem o tempo de colher (energizar e doar)

E logo o tempo de transmutar em uma criação contínua

Em frequências diversas que, em breve,

Em uma fusão de vibrações

Em uníssono estarão criando

Uma frequência divina

E gerando a energia Eterna de Criação no Amor,

Do Amor, por Amor, com Amor,

Pelo infinito Espaço,

Que espera por você para fazer parte disso.

Livros para mudar o mundo. O seu mundo.

Para conhecer os nossos próximos lançamentos
e títulos disponíveis, acesse:

🌐 www.**citadel**.com.br

f /**citadeleditora**

📷 @**citadeleditora**

🐦 @**citadeleditora**

▶ Citadel – Grupo Editorial

Para mais informações ou dúvidas sobre a obra,
entre em contato conosco por e-mail:

✉ contato@**citadel**.com.br